古典·哲学时代

韩非子研究

谢无量 / 著 　 马东峰 / 主编

北京理工大学出版社

《古典·哲学时代》编委会

主　　编：马东峰
执行主编：马　达
编　　委：王钦刚　华　亮　李艳洁
　　　　　王　洁　周大力　河红联
　　　　　刘立苹　王晶瑾

目 录

第一编　韩非学术之渊源
第一章　韩非传略 …………………………………… 3
第二章　道家为韩非学之渊源 ……………………… 18
第三章　儒家为韩非学之渊源 ……………………… 44
第四章　刑名法术为韩非学之渊源 ………………… 58
第五章　韩非与杨、墨及诸子之关系 ……………… 89

第二编　韩非之学说
第一章　非法古论 …………………………………… 105
第二章　法术论 ……………………………………… 114
第三章　赏罚论 ……………………………………… 156
第四章　非仁义论 …………………………………… 167
第五章　耕战论 ……………………………………… 172
第六章　亡国论 ……………………………………… 177
第七章　个人对国家论 ……………………………… 182
第八章　人生道德观 ………………………………… 188

第一编
韩非学术之渊源

第一章　韩非传略

古之言政治者数家，至于法家而详。法家之学，又至韩非而大备。司马谈《论六家指要》曰："阴阳、儒、墨、名、法、道德，此务为治者也。"盖韩非不喜阴阳，而好刑名法术之学，亲受业儒者之门，而推本于道德，既博稽众家，求其切实可施诸行事者，著书言治。故中国古代之政治学，至于韩非，大体具矣。以其晚出，所取资多也。今先述其略传，次及其渊源，次述其学说。

司马迁以老、庄、申、韩，合在一传，而论之曰："老子所贵道，虚无因应，变化于无为，故著书辞，称微妙难识。庄子散道德放论，要亦归之自然。申子卑卑，施之于名实。韩子引绳墨，切事情，明是非，其极惨礉少恩，皆原于道德之意。而老子深远矣。"盖古之名学者，以道家为最先。虽起自黄帝，要至老子以来，其学为有传也。韩非虽兼综诸家之长，而尤远推本道德之意。故太史公独叙申、韩于老、庄之后，亦以其所源者远与？今次韩非传略，一以《史记》及《韩非子》书为本。

第一编 韩非学术之渊源

《史记》曰:

韩非者,韩之诸公子也。喜刑名法术之学,而其归本于黄老。非为人口吃,不能道说,而善著书。与李斯俱事荀卿,斯自以为不如非。

非见韩之削弱,数以书谏韩王,韩王不能用。于是韩非疾治国不务修明其法制,执势以御其臣下,富国强兵而以求人任贤,反举浮淫之蠹而加之于功实之上。以为儒者用文乱法,而侠者以武犯禁。宽则宠名誉之人,急则用介胄之士。今者所养非所用,所用非所养。悲廉直不容于邪枉之臣,观往者得失之变,故作《孤愤》、《五蠹》、《内外储》、《说林》、《说难》十余万言。

然韩非知说之难,为《说难》书甚具,终死于秦,不能自脱。《说难》曰:

凡说之难,非吾知之有以说之之难也,又非吾辩之难能明吾意之难也,又非吾敢横失能尽之难也。凡说之难,在知所说之心,可以吾说当之。

所说出于为名高者也,而说之以厚利,则见下节而遇卑贱,必弃远矣。所说出于厚利者也,而说之以名高,则见无心而远事情,必不收矣。所说实为厚利,而显为名高者也,而说之以名高,则阳收

第一章 韩非传略

其身而实疏之；若说之以厚利，则阴用其言而显弃其身。此之不可不知也。

夫事以密成，而以泄败。未必其身泄之也，而语及其所匿之事，如是者身危。贵人有过端，而说者明言善议以推其恶者则身危。周泽未渥也而语极知，说行而有功则德亡，说不行而有败则见疑，如是者身危。夫贵人得计，而欲自以为功，说者与知焉则身危。彼显有所出事，乃自以为也，故说者与知焉则身危。强之以其所必不为，止之以其所不能已者身危。故曰：与之论大人，则以为间己；与之论细人，则以为鬻权。论其所爱，则以为借资；论其所憎，则以为尝己。径省其辞，则不知而屈之；泛滥博文，则多而久之。顺事陈意，则曰怯懦而不尽；虑事广肆，则曰草野而倨侮。此说之难不可不知也。

凡说之务，在知饰所说之所敬，而灭其所丑。彼自知其计，则无以其失穷之；自勇其断，则无以其敌怒之；自多其力，则无以其难概之。规异事与同计，誉异人与同行者，则以饰之无伤也。有与同失者，则明饰其无失也。大忠无所拂悟，辞言无所击排，乃后申其辩知焉。此所以亲近不疑，知尽之难也。得旷日弥久，而周泽既渥，深计而不疑，交争而不罪，乃明计利害以致其功，直指是非以饰其身。以此相持，此说之成也。

伊尹为庖，百里奚为虏，皆所由干其上也。故此二子者，皆圣人也，犹不能无役身而涉世如此其污也，则非能仕之所设也。

宋有富人，天雨墙坏。其子曰："不筑，且有盗。"其邻人之父亦云。暮而果大亡其财。其家甚知其子，而疑邻人之父。昔者郑武公欲伐胡，乃以其子妻之。因问群臣曰："吾欲用兵，谁可伐者？"关其思曰："胡可伐。"乃戮关其思。曰："胡，兄弟之国也。子言伐之，何也？"胡君闻之，以郑为亲己，而不备郑。郑人袭胡，取之。此二说者，其知皆当矣，然而甚者为戮，薄者见疑。非知之难也，处知则难矣。

昔者弥子瑕见爱于卫君。卫国之法，窃驾君车者罪至刖。既而弥子之母病，人闻，往夜告之。弥子矫驾君车而出。君闻之而贤之曰："孝哉！为母之故而犯刖罪。"与君游果园，弥子食桃而甘，不尽而奉君。君曰："爱我哉！忘其口而念我。"及弥子色衰而爱弛，得罪于君。君曰："是尝矫驾吾车，又尝食我以其余桃。"故弥子之行，未变于初也，前见贤而后获罪者，爱憎之至变也。故有爱于主，则知当而加亲；见憎于主，则罪当而加疏。故谏说之士，不可不察爱憎之主而后说之矣。

夫龙之为虫也，可扰狎而骑也。然其喉下有逆鳞径尺，人有婴之，则必杀人。人主亦有逆鳞，说之者能无婴人主之逆鳞，则几矣。

太史公于韩非书，独著《说难》，岂非以其文章之工耶？自墨子作《辨经》，且立论表之法，后之学者多宗之。鲁胜以为荀卿、庄周，虽毁名家，而辩言正辞，则不能外。故韩子既博综众学，或又取于墨子辨言正辞之法，是以善分别事理，以尽人情。其文章在诸法家中，尤为深切粲然者矣。扬雄《法言》论《说难》曰："或问：'韩非作《说难》之书，而卒死乎说难。敢问何反也？'曰：'说难，盖其所以死乎？'曰：'何也？'曰：'君子以礼动，以义止。合则进，否则退。确乎不忧其不合也。夫说人而忧其不合，则亦无所不至矣。'曰：'说之不合非忧耶？'曰：'说不由道，忧也。由道而不合，非忧也。'"扬子纯主儒术，故非《说难》。

《史记》又曰："人或传其书至秦。秦王见《孤愤》、《五蠹》之书，曰：'嗟乎！寡人得见此人，与之游，死不恨矣。'李斯曰：'此韩非之所著书也。'秦因急攻韩。韩王始不用非，及急，乃遣非使秦。秦王悦之，未信用。李斯、姚贾害之，毁之曰：'韩非，韩之诸公子也。今王欲并诸侯，非终为韩不为秦，此人之情也。今王不用，久留而归之，此自遗患也。不如以过法诛之。'秦王以为然，下吏治非。李斯使人遗非药，使自杀。韩非欲自陈，不得见。秦王后悔之，使人赦之，非已死矣。"

今《韩非子》书，首列《初见秦》第一，次之以《存韩》第二。《初见秦》篇亦见《战国策》，以为张仪初见秦之词。且其间言举赵亡韩之策，与次篇《存韩》之意不类。岂非初至秦，故先为秦破从并天下之略以尝秦王，及其相重，乃进存韩之说耶？卒以此为李斯所构至死。《存韩》篇是后人缀缉，故具载李斯之奏。然可以见李斯忌非而间之于秦王之事实也。今略去《初见秦》语，独著《存韩》篇如下：

> 韩事秦三十余年，出则为扞蔽，入则为席荐。秦特出锐师取韩地而随之，怨悬于天下，功归于强秦。且夫韩入贡职，与郡县无异也。今日臣窃闻贵臣之计，举兵将伐韩。夫赵氏聚士卒，养从徒，欲赘天下之兵，明秦不弱，则诸侯必灭宗庙，欲西面行其意，非一日之计也。今释赵之患，而攘内臣之韩，则天下明赵氏之计矣。
>
> 夫韩，小国也，而以应天下四击，主辱臣苦，上下相与同忧久矣。修守备，戒强敌，有蓄积，筑

城池以守固。今伐韩，未可一年而灭。拔一城而退，则权轻于天下，天下摧我兵矣。韩叛则魏应之，赵据齐以为原。如此，则以韩、魏资赵假齐，以固其从，而以与争强，赵之福而秦之祸也。夫进而击赵不能取，退而攻韩弗能拔，则陷锐之卒勤于野战，负任之旅罢于内攻，则合群苦弱以敌而共二万乘，非所以亡赵之心也。均如贵人之计，则秦必为天下兵质矣。陛下虽以金石相弊，则兼天下之日未也。

今贱臣之进愚计：使人使荆，重币用事之臣，明赵之所以欺秦者；与魏质，以安其心，从韩而伐赵。赵虽与齐为一，不足患也。二国事毕，则韩可以移书定也。是我一举，二国有亡形，则荆、魏又必自服矣。故曰："兵者，凶器也。"不可不审用也。以秦与赵敌衡，加以齐，今又背韩，而未有以坚荆、魏之心。夫一战而不胜，则祸构矣。计者，所以定事也，不可不察也。韩、秦强弱，在今年耳。且赵与诸侯阴谋久矣。夫一动而弱于诸侯，危事也。为计而使诸侯有意伐之心，至殆也。见二疏，非所以强于诸侯也。臣窃愿陛下之幸熟图之。攻伐而使从者间焉，不可悔也。

诏以韩客之所上书，书言韩之未可举，下臣斯，甚以为不然。秦之有韩，若人之有心腹之病也，虚处则悇然,若居湿地,著而不去,以极走则发矣。夫韩虽臣于秦,未尝不为秦病,今若有卒报之事,韩不可信也。秦与赵为难,荆苏使齐,未知何如。以臣观之,则齐、赵之交,未必以荆苏绝也。若不绝,是悉赵而应二万乘也。夫韩不服秦之义而服于强也。今专于齐、赵,则韩必为腹心之病而发矣。韩与荆有谋,诸侯应之,则秦必复见崤塞之患。非之来也,未必不以其能存韩也为重于韩也。辩说属辞,饰非诈谋,以钓利于秦,而以韩利窥陛下。夫秦、韩之交亲,则非重矣,此自便之计也。

臣视非之言,文其淫说靡辩,才甚。臣恐陛下淫非之辩,而听其盗心,因不详察事情。今以臣愚议,秦发兵而未名所伐,则韩之用事者,以事秦为计矣。臣斯请往见韩王,使来入见大王。见,因内其身而勿遣,稍召其社稷之臣,以与韩人为市,则韩可深割也。因令蒙武发东郡之卒,窥兵于境上,而未名所之,则齐人惧而从苏之计。是我兵未出而劲韩以威擒,强齐以义从矣。闻于诸侯也,赵氏破胆,荆人狐疑,必有忠计。荆人不动,魏不足患也,则诸侯可蚕食而尽,赵氏可得与敌矣。愿陛下幸察愚臣之计,无忽。

秦王遂遣斯使韩也。

第一章　韩非传略

李斯往诏韩王。未得见。因上书曰："昔秦、韩戮力一意,以不相侵,天下莫敢犯,如此者数世矣。前时五诸侯尝相与共伐韩,秦发兵以救之。韩居中国,地不能满千里,而所以得与诸侯班位于天下、君臣相保者,以世世相教事秦之力也。先时五诸侯共伐秦,韩反与诸侯先为雁行,以向秦军于阙下矣。诸侯兵困力极,无奈何,诸侯兵罢。杜仓相秦,起兵发将,以报天下之怨,而先攻荆。荆令尹患之,曰:'夫韩以秦为不义,而与秦兄弟,共苦天下。已又背秦,先为雁行以攻关。韩则居中国,展转不可知。'天下共割韩上地十城以谢秦,解其兵。夫韩尝一背秦,而国迫地侵,兵弱至今。所以然者,听奸人之浮说,不权事实。故虽杀戮奸臣,不能使韩复强。

"今赵欲聚兵士,卒以秦为事,使人来借道,言欲伐秦,其势必先韩而后秦。且臣闻之:'唇亡则齿寒。'夫秦、韩不得无同忧,其形可见。魏欲发兵以攻韩,秦使人将使者于韩。今秦王使臣斯来而不得见,恐左右袭曩奸臣之计,使韩复有亡地之患。臣斯不得见,请归报,秦、韩之交必绝矣。斯之来使,以奉秦王之欢心,愿效便计,岂陛下所以逆贱臣者耶?臣斯愿得一见,前进道愚计,退就葅戮,愿陛下有意焉。今杀臣于韩,则大王不足以强,若不听臣之计，则祸必构矣。秦发兵不留行，而韩之社稷忧矣。臣斯暴身于韩之市，则虽欲察贱臣愚忠之计，不可得已。边鄙残，国固守，鼓铎之声于耳，而乃用臣斯之计，晚矣。且夫韩之兵于天下可知也，今又背强秦。夫弃城而败军，则反掖之寇必袭城矣。城尽则聚散，聚散则无军矣。使城固守，则秦必兴兵而围王一都，道不通则难必谋，其势不救，左右计之者不用，愿陛下熟图之。若臣斯之所言有不应事实者，愿大王幸使得毕辞于前，乃就吏诛不晚也。秦王饮食不甘，游观不乐，意专在图赵，使臣斯来言，愿得身见，因急与陛下有计也。今使臣不通，则韩之信未可知也。夫秦必释赵之患而移兵于韩，愿陛下幸复察图之，而赐臣报决。"

李斯使韩，既不得见韩王，所计不行，归后乃谮韩非于秦王。《战国策》记姚贾事，较《史记》尤详，今节录之。先是，四国为一将攻秦。秦王召群臣宾客六十人而问焉，曰："为之奈何？"群臣莫对。姚贾对曰："贾愿出使四国，必绝其谋而案其兵。"乃资车百乘，金千斤，衣以其衣，舞以其剑。姚贾辞行，绝其谋，止其兵，与之为交以报秦。秦王大悦，贾封千户，以为上卿。韩非知之，曰："贾以珍珠重宝，南使荆、齐，北使燕、代之间三年，四国之交未必合也，而珍珠重宝尽于内。是贾以王之权，外自交于诸侯。愿王察之。且梁监门子，尝盗于梁，臣于赵而逐。取世监门子、梁之大盗、赵之逐臣，与同知社稷之计，非所以厉群臣也。"王召姚贾而问曰："吾闻子以寡人财交于诸侯，有诸？"对曰："有。"王曰："有何面目复见寡人？"对曰："曾参孝其亲，天下愿以为子。子胥忠于君，天下愿以为臣。今贾忠王，而王不知也。贾不归四国，尚焉之？桀、纣听谗，杀其忠臣，至身死国亡。今王听谗，则无忠臣矣。"王曰："子监门子，梁之大盗，赵之逐臣。"姚贾曰："太公望，齐之逐夫，文王用之而王。管仲，鲁之免囚，桓公用之而霸。百里奚，虞之乞人，穆公相之而朝西戎。故明主不取其污，不听其非，察其为己用，故可以存社稷。虽有外诽者不听，虽有高世之名，无咫尺之功者不赏。是以群臣莫敢以虚愿望于上。"秦王曰："然。"乃复使姚贾而诛韩非云。

韩非死，未几而韩并于秦。《汉志》法家《韩非子》五十五篇。隋、唐《志》二十卷、目一卷，旧有注，不详名氏。惟元何犿以为李瓒注鄙陋无取，尽为削去。不知犿何据指为李瓒也。其篇自昔谓有缺者，然所传适符五十五篇之数。惟王伯厚言今本五十六篇，独多一篇，今不可考。近人于韩非书颇有校正其义训者，皆五十五篇也。《初见秦》第一,《存韩》第二,《难言》第三,《爱臣》第四,《主道》第五,《有度》第六,《二柄》第七,《扬权》第八,《八奸》第九,《十过》第十,《孤愤》第十一,《说难》第十二,《和氏》第十三,《奸劫弑臣》第十四,《亡征》第十五,《三守》第十六,《备内》第十七,《南面》第十八,《饰邪》第十九,《解老》第二十,《喻老》第二十一,《说林上》第二十二,《说林下》第二十三,《观行》第二十四,《安危》第二十五,《守道》第二十六,《用人》第二十七,《功名》第二十八,《大体》第二十九,《内储说上七术》第三十,《内储说下六微》第三十一,《外储说左上》第三十二,《外储说左下》第三十三,《外储说右上》第三十四,《外储说右下》第三十五,《难一》第三十六,《难二》第三十七,《难三》第三十八,《难四》第三十九,《难势》第四十,《问辩》第四十一,《问田》第四十二,《定法》第四十三,《说疑》第四十四,《诡使》第四十五,《六反》第四十六,《八说》第四十七,《八经》第四十八,《五蠹》第四十九,《显学》第五十,《忠孝》第五十一,《人主》第五十二,《饬令》第五十三,《心度》第五十四,《制分》第五十五。

太史公既谓申、韩皆原于道德之意,《汉志》则列韩非于法家。其言曰:"法家者流,盖出于理官,信赏必罚,以辅礼制。《易》曰:'先王以明罚饬法',此其所长也。

及刻者为之，则无教化，去仁爱，专任刑法而欲以致治，至于残害至亲，伤恩薄厚。"盖法家所由出，本以辅礼制。荀卿最长于礼，而韩非师之，又稽考黄老刑名之言。此韩非成学之大略也。

《蜀志》："先主敕曰：申、韩之书，益人智意，可观诵之。"

刘勰《文心雕龙》曰："慎到析密理之巧，韩非著博喻之富。"

晁公武《读书志》曰："韩非喜刑名法家之学，作《孤愤》、《五蠹》、《说林》、《说难》十余万言，书凡五十五篇。其极刻核无诚恻，谓夫妇父子，举不足相信，而有《解老》、《喻老》篇，故太史公以为大要皆原于道德之意。夫老子之言高矣，世皆怪其流裔何至于是。殊不知老子之书，有'将欲歙之，必固张之'及'欲上人者，必以言下之；欲先人者，必以身后之'等言，是出于诈，此所以一传而为非与？"

高似孙《子略》曰："韩子书往往尚法以神其用，薄仁义，厉刑名，背《诗》、《书》，课名实。心术词旨，皆商鞅、李斯治秦之法，而非又欲凌跨之。此始皇之所投合，而李斯之所忌者，非迄坐是为斯所杀。而秦即以亡，固不待始皇之用其言也。《说难》一篇，殊为切于事情者。惟其切切于求售，是以先为之说，而后说于人，亦庶几万一焉耳。太史公以其说之难也，固尝悲之，抑亦有所感慨而发者与？"

《黄氏日抄》曰："韩非尽斥尧、舜、禹、汤、孔子，而兼取申不害、商鞅法术之说，加深刻焉。至谓妻子亦害己者而不可信，盖自谓独智足舞一世矣。然以疏远，一旦说人之国，乃欲其主首去贵近，将谁汝容耶？送死秦狱，愚莫与比。然观其书，犹有足警后世之惑者。方是时，先王道息，处士横议，往往故为无稽寓言，以相戏剧。彼其为是言者，亦未尝自谓真有是事也。后世袭取其余而神之，流俗因信以为真。而异端之说，遂至祸天下。奈何韩非之辩具在而不察耶？非之言曰：白马非马，齐稷下之辩者屈焉，及乘白马之赋而籍之，不见其非白也。盖虚辞空辩，可以胜一国；考实按形，不能漫一人。今人于异端，有尝核其实者否耶？非之言曰：宋人有欲为燕王削棘刺之端为猿母者，必三月斋，然后能见。知王之必不能久斋而给之尔。王乃养之三乘。冶工言王曰：'果然，则其所以削者必小。今臣冶人也，无以为削，此不然之物也。'因囚而问之，果妄，乃杀之。今人于异端，果尝有讯其妄者否耶？……非之辩诬，若此者众。姑取节焉，以告惑者。"

王世贞《韩非子书序》曰："韩子之言，太史公若心喜之，而传之《老子传》。唐以尊老子故析之，宋以绌老子故复合之。其析其合，要非以为韩非子也。嗟夫！儒至宋而衰矣。彼其睥睨三代之后，以为无一可者，而不能不心折于孔明。乃孔明则自比于管子，而劝后主读韩非子之书。何以故？宋儒之所得浅，而孔明之所得深故也。宋以名舍之，是故小遇辽小不振，大遇金大不振。孔明以实取之，是故蕞尔之蜀，与强魏角而恒踞其上。"

古今论韩非者甚众，不可悉引。惟太史公似有深意，至独录《说难》，则有取其文章。《黄氏日抄》所言，亦极推其辩言正词之功。盖韩非之议论，多切于事情，而核于名实，为言治者所不可废也。世或不考非之学术，而徒以其不能自脱于秦为罪，此则无异儿童之见，失乎史公发愤之旨矣。非之言纯驳若何，古多已言之。然贾生、晁错实明之于汉廷，而诸葛又用以治蜀。非之为书，一推本于人事，揆诸正理，以究为政之要，大绌一切阴阳灾异虚伪不实之说。殆所涉猎者广，而用心者深与？故今姑置非书优劣不论，但审其渊源所自出，与其说之条理，庶好学之士，得观览焉。

第二章　道家为韩非学之渊源

第一节　韩非与老子前道家之关系

《汉志》曰:"道家者流,盖出于史官,历记成败存亡祸福古今之道,然后知秉要执本,清虚以自守,卑弱以自持,此人君南面之术也。合于尧之克攘,《易》之嗛嗛,一谦而四益,此其所长也。及放者为之,则欲绝去礼学,兼弃仁义,曰:独任清虚,可以为治。"盖《汉志》道家于《老子》前列《伊尹》五十一篇、《太公》二百三十七篇、《辛甲》二十九篇、《鬻子》二十二篇、《管子》八十六篇。而《韩非》书所称者,老子外有伊尹、太公、管子,皆取其有合法家之意而后取之。故尝以伊尹与管仲、商君并称曰:

> 托于犀车良马之上,则可以陆犯阪阻之患;乘舟之安,持楫之利,则可以永绝江河之难;操法术之数,行重罚严诛,则可以致霸王之功。治国之有

法术赏罚,犹若陆行之有犀车良马也,水行之有轻舟便楫也,乘之者遂得其成。伊尹得之汤以王,管仲得之齐以霸,商君得之秦以强。此三人者,皆明于霸王之术,察于治强之数,而不以牵于世俗之言;适当世明主之意,则有直任布衣之士,立为卿相之处;处位治国,则有尊主广地之实。此之谓足贵之臣。汤得伊尹,以百里之地立为天子;桓公得管仲,立为五霸主,九合诸侯,一匡天下;孝公得商君,地以广,兵以强。故有忠臣者,外无敌国之患,内无乱臣之忧,长安于天下,而名垂后世,所谓忠臣也。(《奸劫弑臣》)

又以伊尹与太公、管仲、郭偃并称曰:

不知治者,必曰:"无变古,毋易常。"变与不变,圣人不听,正治而已。然则古之无变,常之毋易,在常、古之可与不可。伊尹毋变殷,太公毋变周,则汤、武不王矣。管仲毋易齐,郭偃毋更晋,则桓、文不霸矣。(《南面》)

《韩非》又谓伊尹说汤,七十说而不受,身执鼎俎,为庖宰,昵近亲习,而汤乃仅知其贤而用之。《史记·殷本纪》曰："阿衡欲干汤而无由，乃为有莘氏媵臣，负鼎俎以滋味悦汤，致于王道。或曰：伊尹处士，汤使人聘迎之，五反，然后肯往，从汤言素王及九主之事。"《伊尹》书今不可见。惟所谓素王九主者，刘向《别录》曰："九主者，有法君、专君、授君、劳君、等君、寄君、破君、国君、三岁社君，凡九品，图画其形。"《索隐》曰："按：素王者，太素上皇，其道质素，故称素王。九主者，三皇五帝及夏禹也。或曰九主谓九皇也。然按注，刘向所称九主，载之《七录》，其名甚奇，不知所凭据耳。法君，谓用法严急之君，若秦孝公及始皇等也。劳君，谓勤劳天下，如禹、稷等也。等君，等者平也，谓定等威，均禄赏，若高祖封功臣、侯雍齿也。授君，谓人君不能自理，而政归其臣，若燕王哙授子之、禹授益之比也。专君，谓专己独断，不任贤臣，若汉宣之比也。破君，谓轻敌致寇，国灭君死，若楚戊、吴濞等是也。寄君，谓人困于下，主骄于上，离析可待，故孟轲谓之寄君也。国君，'国'当为'固'字之讹耳。固谓完城郭、利甲兵而不修德，若三苗、智伯之类也。三岁社君，谓在襁褓而主社稷，若周成王、汉昭平等是也。"《索隐》之说如此。按《伊尹》书刘向时当具存，故著九主之名。《索隐》则是望文生训，且证以事实，不必然也。《伊尹》当但陈九主之道而已，岂须一一举人为例。近人谓法君如今立宪之君；等君者，平等也，如今共和之君；三岁社君，或类限期选任元首之制。其说亦似，要未可详。《伊尹》所列以法君为首，其书必多有法家之意，故《韩非》取之，而与管、商并称与？

《韩非》之称太公，亦专重其能任法。尝记太公之诛狂矞、华士曰：

> 太公望东封于齐。齐东海上有居士曰狂矞、华士，昆弟二人者立议曰："吾不臣天子，不友诸侯，耕作而食之，掘井而饮之，吾无求于人也。无上之名，无君之禄，不事仕而事力。"太公望至于营丘，使吏执杀之，以为首诛。周公旦从鲁闻之，发急传而问之曰："夫二子，贤者也。今日飨国而杀贤者，何也？"太公望曰："是昆弟二人立议曰：'吾不臣天子，不友诸侯，耕作而食之，掘井而饮之，吾无求于人也。无上之名，无君之禄，不事仕而事力。'彼不臣天子者，是望不得而臣也；不友诸侯者，是望不得而使也；耕作而食之，掘井而饮之，无求于人者，是望不得以赏罚劝禁也。且无上名，虽知不为望用；不仰君禄，虽贤不为望功。不仕则不治，不任则不忠。且先王之所以使其臣民者，非爵禄则刑罚也。今四者不足以使之，则望当谁为君乎？不服

兵革而显，不亲耕耨而名，又非所以教于国也。今有马于此，如骥之状者，天下之至良也。然而驱之不前，却之不止，左之不左，右之不右，则臧获虽贱，不托其足。臧获之所愿托其足于骥者，以骥之可以追利避害也。今不为人用，臧获虽贱，不托其足焉。已自谓以为世之贤士，而不为主用，行极贤而不用于君，此非明主之所臣也，亦骥之不可左右矣，是以诛之。"

一曰：太公望东封于齐。海上有贤者狂矞，太公望闻之往，请焉。三却马于门，而狂矞不报见也，太公望诛之。当是时也，周公旦在鲁，驰往止之。比至，已诛之矣。周公旦曰："狂矞，天下贤者也，夫子何为诛之？"太公望曰："狂矞也，议不臣天子，不友诸侯，吾恐其乱法易教也，故以为首诛。今有马于此，形容似骥也，然驱之不往，引之不前，虽臧获不托足以旋其轸也。"（《外储说右上》）

《韩非》系此于《储说》"势不足以化则除之"之下，又申之曰："赏之誉之不劝，罚之毁之不畏，四者加焉不变，则其除之。"盖尊法而不尚贤之意也。《太公》书今不传。《六韬》旧题出自太公，殆依托也。太公虽为道家、兵家之所宗，而同时即为刑名法术所本。今请就《史记》

所载太公事考之。

《史记·齐世家》曰："或曰：吕尚处士，隐海滨。周西伯拘羑里，散宜生、闳夭素知而招吕尚。吕尚亦曰：'吾闻西伯贤，又善养老，盍往焉。'三人者为西伯求美女奇物，献之于纣，以赎西伯。西伯得以出，反国。西伯昌之脱羑里，归与吕尚阴谋修德，以倾商政。其事多兵权与奇计，故后世之言兵及周之阴权，皆宗太公为本谋。周西伯政平，及断虞芮之讼，而诗人称西伯受命曰文王。伐崇、密须、犬夷，大作丰邑。天下三分，其二归周者，太公之谋计居多。"《储说》记太公治齐则任法，《史记》记太公佐文王则任术。所谓奇计阴谋皆术也，韩非兼尚法术，宜其推太公矣。《齐世家》又述武王伐纣与天下更始之事，亦曰师尚父谋居多。其数以计谋称太公者，司马迁殆以太公长于术也。《史记·齐世家》又记太公之治齐曰："太公至国修政，因其俗，简其礼，通商工之业，便鱼盐之利，而人民多归齐，齐为大国。"《鲁世家》又曰："鲁公伯禽之初受封，之鲁。三年而后报政周公。周公曰：'何迟也？'伯禽曰：'变其俗，革其礼，丧三年然后除之，故迟。'太公亦封于齐，五月而报政周公。周公曰：'何疾也？'曰：'吾简其君臣礼，从其俗为也。'及后闻伯禽报政迟，乃叹曰：'呜呼！鲁后世其北面事齐矣。夫政不简不易，民不有近。平易近民，民必归之。'"《吕氏春秋》

及《淮南子》亦载齐、鲁论政，不若《史记》之明切。盖周公为儒家之宗，太公为道家之宗。周公伯禽以礼治鲁，太公以法术治齐，由于所操之术不同也。吾国古代政治学说，惟道家与儒家，大有区别，不可不辨。道家降为法家，法家为治，在因时势以致富强。故老子之因应，流为申不害之言势，慎子之言因循。太公之因俗简礼，亦是意也。韩非每言因人情，顺势以行法度，其渊源非有二矣。儒者之治则不然，观于齐、鲁异政，与太公诛华士，而周公不谓然，可见二家为治之本相殊也。

《韩非》称管仲尤数。《汉志》列《管子》于道家，实法家言也。《七略》独列之法家，是矣。太史公为《管晏列传》，述管子之学，文约而旨得。其言曰："管仲既任政相齐，以区区之齐在海滨，通货积财，富国强兵，与俗同好恶。故其称曰：'仓廪实而知礼节，衣食足而知荣辱，上服度则六亲固。四维不张，国乃灭亡。'下令如流水之原，令顺民心，故论卑而易行。俗之所欲，因而予之。俗之所否，因而去之。其为政也，善因祸而为福，转败而为功。贵轻重，慎权衡。"此可为善述管子之学者。盖与俗同好恶，因而予去，即法家贵势及因循之说矣。《管子》书多后人附益，然太史公已称其《牧民》、《山高》、《乘马》、《轻重》、《九府》等篇，则流传已久。或为管氏之学者，有所增益耳。《管子》为治之大本，固具乎此也。其书诚多推原道德之意以言刑名，宜为法家所祖与？其短语《心术上》曰：

> 道不远而难极也，与人并处而难得也。虚其欲，神将入舍。扫除不洁，神乃留处。君子恬愉无为，去智去欲，言虚素也。
>
> 故德者，得也。得也者，其谓所得以然也。以无为之之谓道，舍之之谓德，故道之与德无间，故言之者不别也。间之理者，谓其所以舍也。

上甚似道德论。其后老、庄之书，及韩非《解老》、《喻老》二篇，往往取其意，当是《管子》承古道家之说也。至其关于形名者，如《杂篇》督名曰：

> 物固有形，形固有名。此言名不得过实，实不得延名。姑形以形，以形务名，督言正名，故曰圣人。
>
> 修名而督实，按实而定。名实相生，反相为情。名实当则治，不当则乱。名生于实，实生于德，德生于理，理生于智，智生于当。

上论名实，甚近于申、韩形名之说，故《管子》实原于道德之意，以言形名之最早者。《韩非》书中，所取

《管子》义，今析为数端征之。

（一）**尚富** 言治者必富而后教，此儒家与法家之通义。即《管子》所谓"仓廪足而知礼节，衣食足而知荣辱"者也。《韩非》引《管子》谓富无涯，盖国益富斯益善矣。

> 桓公问管仲："富有涯乎？"答曰："水之以涯，其无水者也；富之以涯，其富已足者也。人不能自止于足，而亡其富之涯乎。"（《说林下》）

（二）**明罚** 韩非以为爱多者则法不立，威寡者则下侵上。是以刑罚不必，则禁令不行。管仲知之，故断死人。此其必罚之说也。乃列其证曰：

> 齐国好厚葬，布帛尽于衣衾，材木尽于棺椁。桓公患之，以告管仲曰："布帛尽则无以为蔽，材木尽则无以为守备，而人厚葬之不休，禁之奈何？"管仲对曰："凡人之有为也，非名之则利之也。"于是乃下令曰："棺椁过度者戮其尸，罪夫当丧者。"夫戮死无名，罪当丧者无利，人何故为之也？（《内储说上七术》）

（三）慎赏　韩非又谓利所禁，禁所利，虽神不行；誉所罪，毁所赏，虽尧不治。故因管仲对桓公之忧索官，而明慎赏之义曰：

> 桓公谓管仲曰："官少而索者众，寡人忧之。"管仲曰："君无听左右之请，因能而受禄，录功而与官，则莫敢索官。君何患焉？"（《外储说左下》）

（四）大公　凡私行胜则少公功。韩非又称管仲之不以私报恩曰：

> 管仲束缚，自鲁之齐，道而饥渴，过绮乌封人而乞食。乌封人跪而食之，甚敬。封人因窃谓仲曰："适幸及齐，不死而用齐，将何报我？"曰："如子之言，我且贤之用、能之使、劳之论。我何以报子？"封人怨之。（同上）

（五）去蔽　凡贤之不进，为有所壅蔽。故为国者思进贤，则当勇力先去左右之蔽。其说亦本管仲。

> 有道之士怀其术而欲以明万乘之主，大臣为猛狗迎而龁之，此人主之所以蔽胁，而有道之士所以

不用也。故桓公问管仲曰:"治国最奚患?"对曰:"最患社鼠矣。"公曰:"何患社鼠哉?"对曰:"君亦见夫为社者乎?树木而涂之,鼠穿其间,掘穴托其中。熏之则恐焚木,灌之则恐涂阤,此社鼠之所以不得也。今人君之左右,出则为势重而收利于民,入则比周而蔽恶于君。内间主之情以告外,外内为重,诸臣百吏以为富。吏不诛则乱法,诛之则君不安,据而有之,此亦国之社鼠也。"故人臣执柄而擅禁,明为己者必利,而不为己者必害,此亦猛狗也。夫大臣为猛狗,则龁有道之士矣。左右又为社鼠而间主之情矣,人主不觉。如此,主焉得无壅,国焉得无亡乎?(《外储说右上》)

(六)因时 韩非又谓因事之理,则不劳而成。故桓公巡民而管仲省腐财怨女。记其事曰:

> 齐桓公微服以巡民家,人有年老而自养者,桓公问其故。对曰:"臣有子三人,家贫无以妻之,佣未及反。"桓公归,以告管仲。管仲曰:"畜积有腐弃之财,则人饥饿;宫中有怨女,则民无妻。"桓公曰:"善。"乃谕宫中有妇人而嫁之。下令于民曰:"丈夫二十而室,妇人十五而嫁。"一曰:桓公微服

而行于民间，有鹿门稷者，行年七十而无妻。桓公问管仲曰："有民老而无妻者乎？"管仲曰："有鹿门稷者，行年七十矣而无妻。"桓公曰："何以令之有妻？"管仲曰："臣闻之：上有积财，则民臣必匮乏于下；宫中有怨女，则有老而无妻者。"桓公曰："善。"令于宫中："女子未尝御，出嫁之。"乃令男子年二十而室，女年十五而嫁。则内无怨女，外无旷夫。（《外储说右下》）

韩非所取于《管子》之说盖如此。至其难《管子》者，亦有数端，不复悉著。伊尹、太公、管子，皆推道德之意，主法以为治。其书虽在道家，而韩非之称之，则以其近于法家称之也。

第二节　韩非与老子之关系

老子为道家之宗，其学所包甚广。故列、庄取之为厌世之说，申、韩取之为刑名法术之说，皆本于老子。《老子》曰：

将欲噏之，必固张之。将欲弱之，必固强之。将欲废之，必固兴之。将欲夺之，必固与之。是谓微明。

程子以此为权诈之术所本。又曰："老子语道德而杂权诈，本末舛矣。申、韩、张、苏，皆其流之弊也。申、韩原道德之意，而为刑名，后世犹或师之。苏、张得权诈之说，而为纵横，其失益远矣。今无以传焉。"又曰："老氏之言杂权诈，秦愚黔首，其术盖有所自。"按程子是谓申、韩用术，大抵出于此矣。韩非《喻老》，亦引《老子》此语。然欲考韩非与老子之关系，当就《韩非》本书《解老》、《喻老》二篇而详析之，始不为影响之谈也。

韩非之于道家，即取伊尹、太公、管仲。及精研于老氏，而后其学益秩然有贯。故韩非之学，实本老氏之旨而扩充之者也。《老子》书之解释，传于今最古者，莫如韩非《解老》、《喻老》二篇。其说多与后之注家不同。韩非学之大体，亦具于此二篇矣。

《史记》称老子著书上下篇，然后之说者，或谓上篇为道经，下篇为德经；或曰非也，道德是其总名耳。韩非《解老》多取下篇之词，虽亦言道，然多以人事为主，必切于身心，而可以为治者，始演绎其义。中固不乏名理，要实异于玄宗矣。今分三端论之。

（甲）韩非取于《老子》而建其根本主义

理为法家之根本主义 法家皆以理为根本主义（参看

后章），不仅韩非为然。而韩非则取于《老子》之所谓道者，而谓之曰理，尝以道理并称。盖理定而后可得道也。其说曰：

> 人希见生象也，而得死象之骨，案其图以想其生也，故诸人之所以意想者，皆谓之象也。今道虽不可得闻见，圣人执其见功以处见其形，故曰："无状之状，无物之象。"凡理者，方圆、短长、粗靡、坚脆之分也，故理定而后可得道也。故定理有存亡，有死生，有盛衰。夫物之一存一亡，乍死乍生，初盛而后衰者，不可谓常。唯夫与天地之剖判也俱生，至天地之消散也不死不衰者谓常者。而常者无攸易，无定理。无定理，非在于常所，是以不可道也。圣人观其玄虚，用其周行，强字之曰道，然而可论。故曰："道之可道，非常道也。"（《解老》）

> 道者万物之所然也，万理之所稽也。理者成物之文也，道者万物之所以成也。故曰：道，理之者也。物有理，不可以相薄；物有理不可以相薄，故理之为物之制。万物各异理，万物各异理而道尽。稽万物之理，故不得不化。不得不化，故无常操。无常操，是以死生气禀焉，万智斟酌焉，万事废兴焉。……（同上）

上言道即在于理中。韩非之言道，异乎人之言道也。道虽不可见而可想，可想者即理是也。理之状之象可分，谓之定理。而其分无定无常，特因理之周行者而名曰道耳。道者，所以稽万物之异理者也。物各制于其相异之理而不相薄，是之谓道。盖韩非因理以明道之本体如此，于是乃言道理之用曰：

> 夫缘道理以从事者，无不能成。无不能成者，大能成天子之势尊，而小易得卿相将军之赏禄。夫弃道理而妄举动者，虽上有天子诸侯之势尊，而下有猗顿、陶朱、卜祝之富，犹失其民人而亡其财资也。众人之轻弃道理，而易妄举动者，不知其祸福之深大而道阔远若是也。故谕人曰："孰知其极？"……今众人之所以欲成功而反为败者，生于不知道理而不肯问知而听能。众人不肯问知听能，而圣人强以其祸败适之，则怨。众人多而圣人寡，寡之不胜众，数也。……（同上）

> 所谓"有国之母"：母者，道也。道也者，生于所以有国之术；所以有国之术，故谓之"有国之母"。夫道以与世周旋也，其建生也长，持禄也久，故曰："有国之母，可以长久。"树木有曼根，有直根。根

者，书之所谓柢也。柢也者，木之所以建生也；曼根者，木之所以持生也。德也者，人之所以建生也；禄也者，人之所以持生也。今建于理者，其持禄也久，故曰："深其根。"体其道者，其生日长，故曰："固其柢。"（同上）

上言缘道理从事则能成功，不然则否。道理又为有国之根柢也，然如何而能得此道理乎？韩非尝论其方法曰：

> 众人之用神也躁，躁则多费，多费之谓侈。圣人之用神也静，静则少费，少费之谓啬。啬之谓术也，生于道。夫能啬也，是从于道而服于理者也。众人离于患，陷于祸，犹未知退而不服从道理。圣人虽未见祸患之形，虚无服从于道理，以称蚤服。故曰："夫谓啬，是以蚤服。"（同上）
>
> 思虑熟，则得事理。得事理，则必成功。（同上）

此释《老子》"治人事天莫如啬"之义。以为啬则静，静则思虑熟；思虑熟，则能服从道理，事无不成也。于是又论理为法度之本曰：

> 凡物之有形者，易裁也，易割也。何以论之？有形，则有短长；有短长，则有小大；有小大，则有方圆；有方圆，则有坚脆；有坚脆，则有轻重；有轻重，则有白黑。短长、大小、方圆、坚脆、轻重、白黑之谓理，理定而物易割也。故议于大庭而后言则立，权议之士知之矣。故欲成方圆而随其规矩，则万事之功形矣。而万物莫不有规矩，议言之士，计会规矩也。圣人尽随于万物之规矩，故曰："不敢为天下先。"不敢为天下先，则事无不事，功无不功，而议必盖世。……（同上）

此言圣人随万物之理而立法，即因应于俗以为法度也。

（乙）韩非取于老子而建其伦理说

克己论 韩非既以理为其学之根本主义，以为人之不明理者，思虑胜而智识乱也，故取《老子》"治人事天莫如啬"之语，以克己制欲为伦理之要。其说曰：

> 聪明睿智，天也；动静思虑，人也。人也者，乘于天明以视，寄于天聪以听，托于天智以思虑。故视强则目不明，听甚则耳不聪，思虑过度则智识

乱。目不明则不能决黑白之分，耳不聪则不能别清浊之声，智识乱则不能审得失之地。目不能决黑白之色，则谓之盲；耳不能别清浊之声，则谓之聋；心不能审得失之地，则谓之狂。盲则不能避昼日之险，聋则不能知雷霆之害，狂则不能免人间法令之祸。书之所谓"治人"者，适动静之节，省思虑之费也。所谓"事天"者，不极聪明之力，不尽智识之任。苟极尽则费神多，费神多则盲聋悖狂之祸至，是以啬之。啬之者，爱其精神，啬其智识也。故曰："治人事天莫如啬。"（同上）

人有欲则计会乱，计会乱而有欲甚，有欲甚则邪心胜，邪心胜则事经绝，事经绝则祸难生。由是观之，祸难生于邪心，邪心诱于可欲。可欲之类，进则教良民为奸，退则令善人有祸。奸起则上侵弱君，祸至则民人多伤。然则可欲之类，上侵弱君而下伤人民。夫上侵弱君而下伤人民者，大罪也。故曰："祸莫大于可欲。"是以圣人不引五色，不淫于声乐，明君贱玩好而去淫丽。人无毛羽，不衣则不犯寒，上不属天而下不著地。以肠胃为根本，不食则不能活，是以不免于欲利之心。欲利之心不除，其身之忧也。故圣人衣足以犯寒，食足以充虚，则不忧矣。众人则不然，大为诸侯，小余千金之资，其欲得之忧不除也。胥靡有免,死罪时活,今不知足者之忧终身不解。故曰:"祸莫大于不知足。"故欲利甚于忧,忧则疾生,疾生而智慧衰,智慧衰则失度量,失度量则妄举动,妄举动则祸害至,祸害至而疾婴内,疾婴内则痛祸薄外,痛祸薄外则苦痛杂于肠胃之间,苦痛杂于肠胃之间则伤人也憯,憯则退而自咎。退而自咎也,生于欲利。故曰:"咎莫憯于欲利。"(同上)

民独知兕虎之有爪角也,而莫知万物之尽有爪角也,不免于万物之害。何以论之?时雨降集,旷野闲静,而以昏晨犯山川,则风露之爪角害之。事上不忠,轻犯禁令,则刑法之爪角害之。处乡不节,憎爱无度,则争斗之爪角害之。嗜欲无限,动静不节,则痤疽之爪角害之。好用其私智而弃道理,则网罗之爪角害之。兕虎有域,而万害有原。避其域,塞其原,则免于诸害矣。凡兵革者,所以备害也。重生者,虽入军无忿争之心。无忿争之心,则无所用救害之备。此非独谓野处之军也。圣人之游世也,无害人之心;无害人之心,则必无人害;无人害,则不备人。故曰:"陆行不遇兕虎。"入山不恃备以救害,故曰:"入军不备甲兵。"远诸害,故曰:"兕无所投其角,虎无所错其爪,兵无所容其刃。"不设备

而必无害，天地之道理也。体天地之道，故曰："无死地焉。"动无死地，而谓之"善摄生"矣。（同上）

楚庄王欲伐越，杜子谏曰："王之伐越，何也？"曰："政乱兵弱。"杜子曰："臣愚患之：智如目也，能见百步之外，而不能自见其睫。王之兵自败于秦、晋，丧地数百里，此兵之弱也；庄蹻为盗于境内而吏不能禁，此政之乱也。王之弱乱，非越之下也。欲伐越，此智之如目也。"王乃止。故知之难不在见人，在自见。故曰："自见之谓明。"（《喻老》）

子夏见曾子。曾子曰："何肥也？"对曰："战胜，故肥也。"曾子曰："何谓也？"子夏曰："吾入见先王之义则荣之，出见富贵之乐又荣之。两者战于胸中，未知胜负，故臞。今先王之义胜，故肥。"是以志之难也，不在胜人，在自胜也。故曰："自胜之谓强。"（同上）

韩非又本老氏以论苦乐之价值，而谓乐生于苦，福生于祸，故苦为得乐所必资。其说曰：

人有祸则心畏恐，心畏恐则行端直，行端直则思虑熟，思虑熟则得事理。行端直则无祸害，无祸害则尽天年。得事理则必成功，尽天年则全而寿，

必成功则富与贵。全寿富贵之谓福,而福本于有祸。故曰:"祸兮福之所倚。"以成其功也。(《解老》)

义务论 于是又谓仁义礼云者,皆人之所以自尽其义务,而非有冀于人者焉。

> 仁者谓其中心欣然爱人也,其喜人之有福,而恶人之有祸也。生心之所不能已也,非求其报也。故曰:"上仁为之而无以为也。"(同上)
>
> 义者君臣上下之事,父子贵贱之差也,知交朋友之接也,亲疏内外之分也。臣事君宜下怀上,子事父宜贱敬贵,宜知交朋友之相助也,宜亲者内而疏者外。宜义者,谓其宜也。宜而为之,故曰:"上义为之而有以为也。"(同上)
>
> 众人之为礼也,以尊他人也,故时劝时衰。君子之为礼,以为其身;以为其身,故神之为上礼;上礼神而众人贰,故不能相应。不能相应,故曰:"上礼为之而莫之应。"众人虽贰,圣人复恭敬,尽手足之礼也不衰。故曰:"攘臂而仍之。"(同上)

德之修养 韩非申《老子》之所以言德者,有内外二义。其言内之德曰:

德者内也，得者外也。上德不德，言其神不淫于外也。神不淫于外则身全，身全之谓德。德者，得身也。凡德者以无为集，以无欲成，以不思安，以不用固。为之欲之则德无舍，德无舍则不全。用之思之则不固，不固则无功。无功则生有德。德则无德，不德则在有德。故曰："上德不德，是以有德。"所以贵无为无思为虚者，谓其意无所制也。夫无术者，故以无为无思为虚也，夫故以无为无思为虚者，其意常不忘虚，是制于为虚也。虚者，谓其意所无制也。今制于为虚，是不虚也。虚者之无为也，不以无为为有常。不以无为为有常则虚，虚则德盛，德盛之谓上德。故曰："上德无为而无不为也。"（同上）

其论德之由内而推于外者曰：

身以积精为德，家以资财为德，乡国天下皆以民为德。今治身而外物，不能乱其精神。故曰："修之身，其德乃真。"真者，慎之固也。治家无用之物，不能动其计，则资有余。故曰："修之家，其德有余。"治乡者行此节，则家之有余者益众。故曰："修之乡，其德乃长。"治邦者行此节，则乡之有德者益众。故曰:"修之邦,其德乃丰。"莅天下者行此节,则民之生莫不受其泽。故曰:"修之天下,其德乃普。"修身者以此别君子小人,治乡治邦莅天下者,各以此科适观息耗,则万不失一。故曰:"以身观身,以家观家,以乡观乡,以邦观邦,以天下观天下。吾奚以知天下之然也?以此。"(同上)

(丙)韩非取于老子而建其政治说

法 韩非之政治论,法术而已,故缘《老子》而论法之出于理,前已略述之矣。又以一法之立,不宜轻变,如今世宪法学者所称刚性宪法(Rigid Constiution)之原理也。

> 凡法令更则利害易,利害易则民务变,务变之谓变业。故以理观之,事大众而数摇之则少成功,藏大器而数徙之则多败伤,烹小鲜而数挠之则贼其泽,治大国而数变法则民苦之。是以有道之君,贵静不重变法。故曰:"治大国者若烹小鲜。"(《解老》)

然法之大效之见端,在于保卫人权。而人权之所以得申者,必在于行政者之不能妄伤人始。此近世宪法学之原则也,而韩非固已知之。其释《老子》之言曰:

民犯法令之谓民伤上,上刑戮民之谓上伤民。民不犯法,则上亦不行刑,上不行刑之谓上不伤人。故曰:"圣人亦不伤民。"上不与民相害,而人不与鬼相伤。故曰:"两不相伤。"民不敢犯法,则上内不用刑罚,而外不事利其产业。上内不用刑罚,而外不事利其产业,则民蕃息。民蕃息而畜积盛。民蕃息而畜积盛之谓有德。(同上)

上言上不伤民者,非依法则不得伤民之生命也。末言不事利其产业,则兼又不侵民之财产。夫法而真能保障人民之生命与财产,则法之能力彰矣,民乃蕃息,进于有德焉。

术 韩非兼言法术。其论因势之类,亦即用术也。于是本老氏以立外交之术曰:

越王入宦于吴,而劝之伐齐以弊吴。吴兵既胜齐人于艾陵,张之于江、济,强之于黄池,故可制于五湖。故曰:"将欲禽之,必固张之。将欲弱之,必固强之。"晋献公将欲袭虞,遗之以璧、马。知伯将袭仇由,遗之以广车。故曰:"将欲取之,必固与之。"(《喻老》)

又论人君治下之术，以赏罚为利器曰：

> 势重者，人君之渊也。君人者，势重于人臣之间，失则不可复得也。简公失之于田成，晋公失之于六卿，而邦亡身死。故曰："鱼不可脱于深渊。"赏罚者，邦之利器也。在君则制臣，在臣则胜君。君见赏，臣则损之以为德。君见罚，臣则益之以为威。人君见赏而人臣用其势，人君见罚而人臣乘其威。故曰："邦之利器，不可以示人。"（同上）

又论处事诸术，皆贵因其自然之势而用之曰：

> 夫物有常容，因乘以导之。因随物之容，故静则建乎德，动则顺乎道。宋人有为其君以象为楮叶者，三年而成。丰杀茎柯，毫芒繁泽，乱之楮叶之中而不可别也。此人遂以功食禄于宋邦。列子闻之曰："使天地三年而成一叶，则物之有叶者寡矣。"故不乘天地之资，而载一人之身；不随道理之数，而学一人之智。此皆一叶之行也。故冬耕之稼，后稷不能羡也；丰年大禾，臧获不能恶也。以一人力，则后稷不足；随自然，则臧获有余。故曰："恃万物之自然而不敢为也。"（同上）

重农工　韩非又申《老子》重农工之意曰：

> 今有道之君，外希用甲兵，而内禁淫奢。上不事马于战斗逐北，而民不以马远通淫物，所积力唯田畴。积力唯田畴，必且粪灌。故曰："天下有道，却走马以粪。"（《解老》）
>
> 工人数变业则失其功，作者数摇徙则亡其功。一人之作，日亡半日，十日则亡五人之功矣。万人之作，日亡半日，十日则亡五万人之功矣。然则数变业者，其人弥众，其亏弥大矣。（同上）

综而言之，则韩非既取老子之说，以自建其根本主义，又用之于论理，用之于政治。虽其说未必老氏之本旨，而韩非实本之以立法家之系统者也。故详析而出之。

第三章　儒家为韩非学之渊源

第一节　韩非与孔子之关系

韩非所引孔子语，多不见《论语》，其意往往关于法术之用。至孔子弟子语，亦偶见称述，并附载之。韩非尝谓为治之道：观听不参，则诚不闻；听有门户，则诚壅塞。引孔子对哀公之言曰：

> 鲁哀公问于孔子曰："鄙谚曰：'莫众而迷。'今寡人举事，与群臣虑之，而国愈乱。其故何也？"孔子对曰："明主之问臣，一人知之，一人不知也。如是者，明主在上，群臣直议于下。今群臣无不一辞同轨乎季孙者，举鲁国尽化为一。君虽问境内之人，犹不免于乱也。"（《内储说上》）

又引孔子以论严刑之要曰：

鲁哀公问于仲尼曰:"《春秋》之记曰:'冬十二月霣霜不杀菽。'何为记此?"仲尼对曰:"此言可以杀而不杀也。夫宜杀而不杀,桃李冬实。天失道,草木犹犯干之,而况于人君乎?"(同上)

殷之法,刑弃灰于街者。子贡以为重,问之仲尼。仲尼曰:"知治之道也。夫弃灰于街,必掩人;掩人,人必怒;怒则斗,斗必三族相残也。此残三族之道也,虽刑之可也。且夫重罚者,人之所恶也,而无弃灰,人之所易也。使人行之所易,而无离所恶。此治之道。"一曰:殷之法,弃灰于公道者断其手。子贡曰:"弃灰之罪轻,断手之罚重,古人何太毅也?"曰:"无弃灰所易也,断手所恶也。行所易不关所恶,古人以为易,故行之。"(同上)

鲁人烧积泽。天北风,火南倚,恐烧国。哀公惧,自将众趣救火者。左右无人,尽逐兽而火不救。乃召问仲尼。仲尼曰:"夫逐兽者,乐而无罚;救火者,苦而无赏。此火之所以无救也。"哀公曰:"善。"仲尼曰:"事急,不及以赏救火者。尽赏之,则国不足以赏于人。请徒行罚。"哀公曰:"善。"于是仲尼乃下令曰:"不救火者比降北之罪,逐兽者比入禁之罪。"令未下遍,而火已救矣。(同上)

又引孔子称晋文公攻原及曾子教子之事，以论信之足重曰：

> 晋文公攻原，裹十日粮，遂与大夫期十日。至原，十日而原不下，击金而退，罢兵而去。士有从原中出者曰："原三日即下矣。"群臣左右谏曰："夫原之食竭力尽矣。君姑待之。"公曰："吾与士期十日，不去是亡吾信也。得原失信，吾不为也。"遂罢兵而去。原人闻曰："有君如彼其信也，可无归乎？"乃降公。卫人闻曰："有君如彼其信也，可无从乎？"乃降公。孔子闻而记之曰："攻原得卫者，信也。"（《外储说左上》）
>
> 曾子之妻之市，其子随之而泣。其母曰："女还，顾反为女杀彘。"适市来，曾子欲捕彘杀之。妻止之曰："特与婴儿戏耳。"曾子曰："婴儿非与戏也。婴儿非有知也，待父母而学者也，听父母之教。今子欺之，是教子欺也。父欺子而不信其母，非以成教也。"遂烹彘也。（同上）

今凡韩非称孔子弟子之言，并类记孔子之后，不别出。其引孔子论刑罚得其平则人不怨曰：

孔子曰："善为吏者，树德；不能为吏者，树怨。概者，平量者也；吏者，平法者也。治国者不可失平也。"（《外储说左下》）

孔子相卫，弟子子皋为狱吏，刖人足，所刖者守门。人有恶孔子于卫君者，曰："尼欲作乱。"卫君欲执孔子。孔子走，弟子皆逃。子皋从出门，刖危引之而逃之门下室中，吏追不得。夜半，子皋问刖危曰："吾不能亏主之法令，而亲刖子之足，是子报仇之时也。而子何故乃肯逃我？我何以得此于子？"刖危曰："吾断足也，固吾罪当之，不可奈何。然方公之狱治臣也，公倾侧法令，先后臣以言，欲臣之免也甚，而臣知之。及狱决罪定，公憱然不悦，形于颜色，臣见又知之。非私臣而然也，夫天性仁心固然也。此臣之所以悦而德公也。"（同上）

其论人臣守分之义曰：

管仲相齐，曰："臣贵矣，然而臣贫。"桓公曰："使子有三归之家。"曰："臣富矣，然而臣卑。"桓公使立于高、国之上。曰："臣尊矣，然而臣疏。"乃立为仲父。孔子闻而非之曰："泰侈逼上。"（同上）

季孙相鲁，子路为郈令。鲁以五月起众为长沟。

当此之时，子路以其私秩粟为浆饭，要作沟者于五父之衢而飡之。孔子闻之，使子贡往覆其饭，击毁其器，曰："鲁君有民，子奚为乃飡之？"子路怫然怒，攘肱而入，请曰："夫子疾由之为仁义乎？所学于夫子者，仁义也。仁义者，与天下共其所有而同其利者也。今以由之秩粟而飡民不可，何也？"孔子曰："由之野也！吾以女知之，女徒未及也。女故如是之不知礼也。女之飡之，为爱之也。夫礼，天子爱天下，诸侯爱境内，大夫爱官职，士爱其家，过其所爱曰侵。今鲁君有民而子擅爱之，是子侵也，不亦诬乎？"言未卒，而季孙使者至，让曰："肥也起民而使之，先生使弟子令徒役而飡之，将夺肥之民耶？"孔子驾而去鲁。（《外储说右上》）

韩非既引《管子》国狗社鼠之说，以明为治者之进贤，常为左右所蔽，不可不力去其蔽，贤者乃可登用。又引孔子论尧舜相传之事曰：

尧欲传天下于舜。鲧谏曰："不祥哉！孰以天下而传之于匹夫乎？"尧不听，举兵而诛杀鲧于羽山之郊。共工又谏曰："孰以天下而传之于匹夫乎？"尧不听，又举兵而诛共工于幽州之都。于是天下莫敢言无传天下于舜。仲尼闻之曰："尧之知舜之贤，非其难者也。夫至乎诛谏者必传之舜，乃其难也。"一曰：不以其所疑败其所察，则难也。（同上）

又论名之不可轻假人曰：

卫君入朝于周。周行人问其号，对曰："诸侯辟疆。"周行人却之曰："诸侯不得与天子同号。"卫君乃自更曰："诸侯燬。"而后内之。仲尼闻之曰："远哉禁逼！虚名不以借人，况实事乎？"（《外储说右下》）

又引有若之告宓子，以明用术之要曰：

宓子贱治单父。有若见之曰："子何臞也？"宓子曰："君不知贱不肖，使治单父，官事急心忧之，故臞也。"有若曰："昔者舜鼓五弦，歌《南风》之诗而天下治。今以单父之细也，治之而忧，治天下将奈何乎？"故有术而御之，身坐于庙堂之上，有处女子之色，无害于治；无术而御之，身虽瘁臞，犹未有益。（《外储说左上》）

儒家言治，贵以身为化。而法家则主制之以赏罚，以明分而责诚。故韩非虽引孔子谄上之说，而非犹盂之喻。今具列如下：

> 仲尼曰："与其使民谄下也，宁使民谄上。"（《外储说左下》）
>
> 孔子曰："为人君者犹盂也，民犹水也。盂方水方，盂圆水圆。"（《外储说左上》）

使民谄上者，盖驱之以赏罚而使从上也。犹盂之训，则是立德为表，非法家之旨也。故韩非取前一说。大抵韩非虽承儒者之业，而取诸孔子者，必其有合于己，未必孔氏之正义。诸难篇颇有非孔子者，分系第二编中，不复著于此。

第二节　韩非与荀卿之关系

韩非受业荀卿之门，李斯自以为弗如，故韩非得闻儒者之绪，实自荀卿也。今《荀子》书中，有门人陈嚣、李斯之名，无韩非之名。《韩非》书中引老子、申不害之说以自证，而不及荀卿，惟《难三》有"燕王哙贤子之而非孙卿"一语而已。法家所用形名说，盖出老氏之旨。

第三章　儒家为韩非学之渊源

荀卿书与道家言类似者，唯《解蔽篇》曰：

> 故治之要，在于知道。何以知道？曰：心。心何以知？曰：虚一而静。心未尝不臧也，然而有所谓虚；心未尝不满也，然而有所谓一；心未尝不动也，然而有所谓静。人生而有知，知而有志。志也者，臧也，然而有所谓虚。不以所已臧害所将受谓之虚。心生而有知，知而有异。异也者，同时兼知之；同时兼知之，两也；然而有所谓一。不以夫一害此一谓之一。

虚一而静之语，大类老氏。韩非论道理之原，颇有类此者。荀子老而三为稷下祭酒，博观当世之学者，慨然有整齐群言之意。故尝称曰：

> 墨子蔽于用而不知文，宋子蔽于欲而不知得，慎子蔽于法而不知贤，申子蔽于势而不知知，惠子蔽于辞而不知实，庄子蔽于天而不知人。（《解老》）
> 慎子有见于后，无见于先；老子有见于诎，无见于信；墨子有见于齐，无见于畸；宋子有见于少，无见于多。（《强国》）

荀子又著《非十二子》，以诋訾当世。将会众学之归，故其论不尽与旧之所谓儒同。韩非言治，亦贯聚众家，取其所长而去其所短，殆犹荀子之志欤。今就《韩非》书中，考其与《荀子》义合者，为证其渊源如下：

荀子以前，儒者之学，往往推本宇宙之大，而信天人交感之符。至于荀子，乃专言人道，以为天道无与于人事也，故非子思之言五行、孟子之言性善。盖性善云者，以人之为人本于天，有继善之义，是以谓性善也。荀子既不言天道，乃断然倡性恶论。性恶论者，不可谓非荀卿之所特创，而异于以前诸儒者也。其言曰："人之性恶，其善者伪也。今人之性，生而有好利焉，顺是，故争夺生而辞让亡焉；生而有疾恶焉，顺是，故残贼生而忠信亡焉；生而有耳目之欲，有好声色焉，顺是，故淫乱生而礼义文理亡焉。然则从人之性，顺人之情，必出于争夺，合于犯分乱理而归于暴。故必将有师法之化、礼义之道，然后出于辞让，合于文理而归于治。用此观之，然则人之性恶明矣，其善者伪也。"虽然，韩非之说，固已近之，又因荀卿性恶论，而证以历史之事。其《备内》篇曰：

> 人主之患在信人，信人者被制于人。人臣之于其君也，非有骨肉之亲也，缚于势而不得不事之耳。

故人臣者，窥觇其君之心，无须臾之休，而人主乃怠傲以处其上，此世之所以有劫君弑主也。人主太信其子，则奸臣得乘子以成其私，故李兑傅赵王而饿主父。人主太信其妻，则奸臣得乘妻以成其利，故优施傅骊姬而杀申生、立奚齐。夫以妻之近、子之亲犹不可信，则其余无可信者矣。

王良爱马，为其驰也；越王勾践爱人，为其战也。医者善吮人之伤、含人之血，非骨肉之亲也，驱于利也。故舆人成舆，欲人之富贵；匠人成棺，欲人之夭死。非舆人仁而匠人贼也，人不贵则舆不售，人不死则棺不买。情非憎人也，利在人之死也。故后妃、夫人、太子之党成，而欲君之死，君不死则势不重，情非憎君也，利在君之死也。故人君不可不加心于利己之死者。

上极言仁义非人之性，今性知有利而已，至于妻子皆不可信，为申性恶说之至深切著明者。然荀卿之学，所最致力者尤在于礼。《礼论篇》曰："礼起于何也？曰：人生而有欲，欲而不得，则不能无求；求而无度量分界，则不能不争；争则乱，乱则穷。先王恶其乱也，故制礼义以分之，以养人之欲，给人之求，使欲必不穷乎物，物必不屈于欲，两者相持而长，是礼之所起也。"就荀子之言，则所谓礼者，已包法之用，故礼治降而为法治。荀卿之传，而为韩非、李斯也。韩非尝因老子"失道而后德，失德而后仁，失仁而后义，失义而后礼"之语以论礼曰：

> 礼者，义之文也。故曰："失道而后德，失德而后仁，失仁而后义，失义而后礼。"礼为情貌者也，文为质饰者也。夫君子取情而去貌，好质而恶饰。夫恃貌而论情者，其情恶也；须饰而论质者，其质衰也。何以论之？和氏之璧，不饰以五采；隋侯之珠，不饰以银黄。其质至美，物不足以饰之。夫物之待饰而后行者，其质不美也。是以父子之间，其礼朴而不明，故曰"礼薄也"。凡物不并盛，阴阳是也；理相予夺，威德是也；实厚者貌薄，父子之礼是也。由是观之，礼繁者，实心衰也。然则为礼者，事通人之朴心者也。众人之为礼也，人应则轻欢，不应则责怨。今为礼者，事通人之朴心，而资之以相责之分，能毋争乎？有争则乱，故曰："夫礼者，忠信之薄也，而乱之首乎！"（《解老》）

观上所论，则以礼之文不如情之质，异夫荀子之言礼，盖有偏重于法之意矣。然荀卿固已主刑罚，且尚重刑，其《正论篇》云："世俗之为说者曰：治古无肉刑，而有象刑：墨黥，慅婴，共，艾毕，菲，对屦，杀，赭衣而不纯。治古如是？是不然。以为治耶？则人固莫触罪，非独不用肉刑，亦不用象刑矣。以为人或触罪矣，而直轻其刑，然则是杀人者不死，伤人者不刑也。罪至重，刑至轻，庸人不知恶也，乱莫大焉。凡刑人之本，禁暴恶恶，且征其未也。杀人者不死，而伤人者不刑，是谓惠暴而宽贼也，非恶恶也。故象刑殆非生于治古，并起于乱今也。治古不然，凡爵列官职，赏庆刑罚，皆报也，以类相从者也。一物失称，乱之端也。夫德不称位，能不称官，赏不当功，罚不当罪，不祥莫大焉。昔者，武王伐有商，诛纣，断其首，悬之赤旆。夫征暴诛悍，治之盛也。杀人者死，伤人者刑，是百王之所同，未有知其所由来者也。刑称罪则治，不称罪则乱，故治则刑重，乱则刑轻；犯治之罪固重，犯乱之罪固轻。《书》曰：'刑罚世轻世重。'此之谓也。"荀子盖谓刑罚治世无不重，乱世无不轻，是即重刑主义也。韩非承之，益以法为本，而尤主重刑。其言曰：

> 释法术而心治，舜不能正一国。去规矩而妄意度，奚仲不能成一轮。(《用人》)
> 且夫以法行刑，而君为之流涕，此以效仁，非

以为治也。夫垂泣不欲刑者,仁也;然而不可不刑者,法也。先王胜其法不听其泣,则仁之不可为治亦明矣。(《五蠹》)

夫圣人之治国,不恃人之为吾善也,而用其不得为非也。恃人之为吾善也,境内不什数;用人不得非,一国可使齐。为治者用众而舍寡,故不务德而务法。夫必恃自直之箭,百世无矢;恃自圜之木,千世无轮矣。自直之箭、自圜之木,百世无有一,然而世皆乘车射禽者何也?隐括之道用也。虽有不恃隐括而有自直之箭、自圜之木,良工弗贵也。何则?乘者非一人,射者非一发也。不恃赏罚而恃自善之民,明主弗贵也。何则?国法不可失,而所治非一人也。故有术之君,不随适然之善,而行必然之道。(《显学》)

韩非所谓必然之道,即刑罚是也,亦原于荀子之严刑主义矣。荀子知世界进化之道,后胜于前,故不是古而非今,尝曰:"天地之始,今日是也。百王之道,后王是也。"于是有法后王之说。而韩非承之曰:

上古之世,人民少而禽兽众,人民不胜禽兽虫蛇。有圣人作,构木为巢,以避群害,而民悦之,使王天下，号曰有巢氏。民食果蓏蚌蛤，腥臊恶臭而伤害腹胃，民多疾病。有圣人作，钻燧取火，以化腥臊，而民说之，使王天下，号之曰燧人氏。中古之世，天下大水，而鲧、禹决渎。近古之世，桀、纣暴乱，而汤、武征伐。今有构木钻燧于夏后氏之世者，必为鲧、禹笑矣；有决渎于殷、周之世者，必为汤、武笑矣。然则今有美尧、舜、禹、汤、文、武于今之世者，必为新圣笑矣。是以圣人不期修古，不法常行，论世之事，因为之备。宋人有耕田者，田中有株，兔走触株，折颈而死。因释其耒而守株，冀复得兔。兔不可复得，而身为宋国笑。今欲以先王之政，治当世之民，皆守株之类也。（《五蠹》）

荀子所称法后王，当即韩非新圣之意，不必指文、武也（杨注云："后王为文、武"）。故就韩非书考之，则其承荀子之说有三：一、性恶论，二、重刑主义，三、不法古也。

第四章　刑名法术为韩非学之渊源

第一节　韩非以前刑名法术之学

《史记》称韩非喜刑名法术之学。《集解》引《新序》曰："申子之书，言人主当执术无刑，因循以督责臣下，其责深刻，故号曰'术'。商鞅所为书号曰'法'。皆曰'刑名'，故号曰'刑名法术之书'。"据《集解》说，是刑名法术之学，成于申、商也。申、商以前，管子实近法家，而韩非又谓伊尹、太公，莫不尚法，其所从来远矣。韩非与管子之关系，已于前章道家中述之。《汉志》谓法家出于理官，以辅礼制。而名家亦出礼官，用正名为本。《汉志》法家首李悝，名家首邓析，韩非颇称李悝、申、商以下。邓析书虽在名家，今所传二篇，殊有刑法深刻之意。惠施本治名家言，而韩非又援其说以明法术，故知名、法二家，其渊源实远承黄、老，近肇礼官，为说时可以相通。至子产主严刑，吴起实兵家也，韩非亦多引之，岂不以其言皆有关于刑名法术与？然则管子以后，自儒、道二家，韩非各有所取外，其余足为法家之宗者，又有邓析、子产、吴起、李悝、白圭、惠施。要及尹文、慎到而益详，至于商鞅、申不害之书出，则法家之大体于是乎具矣。尹文、慎到益推法之本，申不害兼言术，邓析、尹文书，惟后世并入名家，又为韩非所未道。然欲明法家之渊源，固不得不列也。今以尹文、慎到为一节，商鞅、申不害为一节，而先述邓析至惠施诸人于此。庶几韩非以前刑名法术学之流变，可得而考焉。

（一）邓析

《列子·力命》篇以邓析操两可之说，设无穷之辞，子产执政，执而诛之。《汉志》邓析二篇，今本仍分《无厚》及《封辞》二篇，虽出于掇拾，然其义犹有可论者。其"无厚"之说曰："天于人无厚也，君于民无厚也，父于子无厚也，兄于弟无厚也。何以言之？天不能屏勃厉之气，全夭折之人，使为善之民必寿，此于民无厚也；凡民有穿窬为盗者，有诈伪相迷者，此皆生于不足，起于贫穷，而君必执法诛之，此于民无厚也；尧、舜位为天子，而丹朱、商均为布衣，此于子无厚也；周公诛管、蔡，此于弟无厚也。推此言之，何厚之有？"又曰："势者，君之舆；威者，君之策。"其旨同于申、韩，解说亦近法家。惟其书不具，不可悉考耳。

（二）子产

韩非数引子产之说，今掇其关于法术者。

> 子产相郑，病将死，谓游吉曰："我死后，子必用郑，必以严莅人。夫火形严，故人鲜灼；水形懦，人多溺。子必严子之刑，无令溺子之懦。"故子产死，游吉不肯严刑，郑少年相率为盗，处于雚泽，将遂以为郑祸。游吉率车骑与战，一日一夜，仅能克之。游吉喟然叹曰："吾蚤行夫子之教，必不悔至于此矣。"（《内储说上》）

《左传·昭二十年》记此事较详，且载仲尼曰："善哉！政宽则民慢。慢则纠之以猛，猛则民残，残则济之以宽。宽以济猛，猛以济宽，政是以和。《诗》曰：'民亦劳止，汔可小康。惠此中国，以绥四方。'施之以宽也。'毋纵诡随，以谨无良，式遏寇虐，憯不畏明。'纠之以猛也。"及子产卒，仲尼闻之出涕曰："古之遗爱也。"韩非又记子产听讼之术曰：

> 有相与讼者，子产离之，而无使得通辞，倒其言以告而知之。（《内储说上》）

(三) 吴起

吴起本受业于曾子之门，今所传《吴子》，则兵家言也，而韩非则取其关于法术者：

> 吴起为魏武侯西河之守，秦有小亭临境，吴起欲攻之。不去则甚害田者，去之则不足以征甲兵。于是乃倚一车辕于北门之外，而令之曰："有能徙此南门之外者，赐之上田、上宅。"人莫之徙也。及有徙之者，遂赐之如令。俄又置一石赤菽东门之外，而令之曰："有能徙此西门之外者，赐之如初。"人争徙之。乃下令大夫曰："明日且攻亭，有能先登者，仕之国大夫，赐之上田宅。"人争趋之，于是攻亭，一朝而拔之。（《内储说上》）

> 吴起出，遇故人而止之食。故人曰："诺。"令返而御。吴子曰："待公而食。"故人至暮不来，起不食，待之。明日蚤，令人求故人。故人来，方与之食。（《内储说左上》）

> 吴起，卫左氏中人也，使其妻织组而幅狭于度。吴子使更之。其妻曰："诺。"及成，复度之，果不中度，吴子大怒。其妻对曰："吾始经之而不可更也。"吴子出之。其妻请其兄而索入。其兄曰："吴子，为法者也。其为法也，且欲以与万乘致功，必

先践之妻妾，然后行之。子毋几索入矣。"其妻之弟又重于卫君，乃因以卫君之重请吴子。吴子不听，遂去卫而入荆也。一曰：吴子示其妻以组曰："子为我织组，令之如是。"组已就而效之，其组异善。起曰："使子为组，令之如是。而今也异善，何也？"其妻曰："用财若一也，加务善之。"吴起曰："非语也。"使之衣归。其父往请之，吴起曰："起家无虚言。"（《外储说右上》）

（四）李悝

《汉志》法家："《李子》三十二篇。名悝，相魏文侯，富国强兵。"《食货志》称："李悝为魏文侯作尽地力之教，以为地方百里，提封九万顷，除山泽邑居，参分去一，为田六百万亩，治田勤谨则亩益三升，不勤则损亦如之。地方百里之增减，辄为粟百八十万石矣。又曰：籴甚贵伤民，甚贱伤农；民伤则离散，农伤则国贫。故甚贵与甚贱，其伤一也。善为国者，使民毋伤而农益劝。今一夫挟五口，治田百亩，岁收亩一石半，为粟百五十石，除十一之税十五石，余百三十五石。食，人月一石半，五人终岁为粟九十石，余有四十五石。石三十，为钱千三百五十，除社闾尝新春秋之祠，用钱三百，余千五十。衣，人率用钱三百,五人终岁用千五百，不足四百五十。不幸疾病死丧之费，及上赋敛，又未与此。此农夫所以常困，有不劝耕之心，而令籴至于甚贵者也。是故善平籴者，必谨观岁有上中下孰。上孰其收自四，余四百石；中孰自三，余三百石；下孰自倍，余百石。小饥则收百石，中饥七十石，大饥三十石。故大孰则上籴三而舍一。中孰则籴二，下孰则籴一。使民适足，贾平则止。小饥则发小孰之所敛，中饥则发中孰之所敛，大饥则发大孰之所敛，而粜之。故虽遇饥馑水旱，粜不贵而民不散，取有余以补不足也。行之魏国，国以富强。"按：李悝，《汉志》以为法家之首，顾其说希传于今者，故著《汉书》所引，以见法家富国之略。韩非似尝取其用术之端而记之：

  李悝为魏文侯上地之守，而欲人之善射也，乃下令曰："人之有狐疑之讼者，令之射的，中之者胜，不中者负。"令下而人皆疾习射，日夜不休。及与秦人战，大败之，以人之善战射也。（《内储说上》）

  李悝警其两和，曰："谨警敌人，旦暮且至击汝。"如是者再三，而敌不至。两和懈怠，不信李悝。居数月，秦人来袭之，至，几夺其军。此不信患也。一曰：李悝与秦人战，谓左和曰："速上！右和已上矣。"又驰而至右和曰："左和已上矣。"左右和曰：

"上矣。"于是皆争上。其明年,与秦人战。秦人袭之,至,几夺其军。此不信之患。(《外储说左上》)

前一事记李悝用术而当,后一事记李悝用术之不当也。

(五)白圭

《史记》列白圭于《货殖传》,以为魏文侯时,李克(克当作悝)务尽地力,而白圭乐观时变。盖天下言治生者祖白圭,观韩非记白圭语,则大抵又近法家也。《吕氏春秋》志白圭与惠施问答,盖犹及魏惠王时云。

> 白圭谓宋令尹曰:"君长自知政,公无事矣。今君少主也而务名,不如令荆贺君之孝也,则君不夺公位,而大敬重公,则公常用宋矣。"(《说林下》)
>
> 白圭相魏,暴谴相韩。白圭谓暴谴曰:"子以韩辅我于魏,我以魏待子于韩,臣长用魏,子长用韩。"(《内储说下》)

观白圭所言,似亦长于用术者也,宜韩非称之与?

(六)惠施

《汉志》"《惠施》一篇",在名家。《庄子》亦数称惠子之辩。至于韩非所引,则近刑名法术之言也。

田驷欺邹君,邹君将使人杀之。田驷恐,告惠子。惠子见邹君曰:"今有人见君,则睐其一目,奚如?"君曰:"我必杀之。"惠子曰:"瞽两目睐,君奚为不杀?"君曰:"不能勿睐。"惠子曰:"田驷东慢齐侯,南欺荆王,驷之于欺人,瞽也。君奚怨焉?"邹君乃不杀。慧子曰:"往者东走,逐者亦东走。其东走则同,其以东走之为则异。故曰:同事之人,不可不审察也。"(《说林上》)(马国翰辑《惠子》以"慧"同"惠")

惠子曰:"置猿于柙中,则与豚同。"故势不便,非所以逞能也。(《说林下》)

张仪欲以秦、韩与魏之势伐齐、荆,而惠施欲以齐、荆偃兵。二人争之。群臣左右皆为张子言,而以攻齐、荆为利,而莫为惠子言。王果听张子,而以惠子言为不可。攻齐、荆事已定,惠子入见。王言曰:"先生毋言矣。攻齐、荆之事果利矣,一国尽以为然。"惠子因说:"不可不察也。夫齐、荆之事也诚利,一国尽以为利,是何智者之众也?攻齐、荆之事诚不利,一国尽以为利,何愚者之众也?凡谋者,疑也。疑也者,诚疑,以为可者半,以为不

可者半。今一国尽以为可，是王亡半也。劫主者，固亡其半者也。"(《内储说上》)

第二节　韩非与慎到、尹文之关系

《史记》曰："慎到，赵人。田骈、接子，齐人。环渊，楚人。皆学黄老道德之术，因发明序其指意。故慎到著十二论，环渊著上下篇，而田骈、接子皆有所论焉。"《汉志》法家："《慎子》四十二篇。名到，先申、韩，申、韩称之。"慎到同时又有尹文，与宋钘俱游稷下。《汉志》"《尹文子》一篇"在名家，然其言实出入于黄、老、申、韩之间。(《四库提要》)自道以论名，自名以论法，虽未见述于《韩非》，固是法家之宗也。

《庄子》以慎到与彭蒙、田骈并称，以尹文与宋钘并称。今考尹文书称田骈、彭蒙，而于宋子若有微词。则知慎到、尹文，同是法家也。《庄子·天下》篇曰：

> 不累于俗，不饰于物，不苟于人，不忮于众，愿天下之安宁，以活民命，人我之养，毕足而止，以此白心。古之道术有在于是者，宋钘、尹文闻其风而悦之。作为华山之冠以自表，接万物以别宥为始。语心之容，命之曰心之行。以聏合欢，以调海

内，请欲置之以为主。见侮不辱，救民之斗，禁攻寝兵，救世之战。以此周行天下，上说下教，虽天下不取，强聒而不舍者也。故曰上下见厌而强见也。虽然，其为人太多，其自为太少，曰："请欲固置五升之饭足矣。"先生恐不得饱，弟子虽饥，不忘天下。日夜不休，曰："我必得活哉！"图傲乎救世之士哉！曰："君子不为苛察，不以身假物。"以为无益于天下者，明之不如已也。以禁攻寝兵为外，以情欲寡浅为内，其小大精粗，其行适至是而止。

公而不当，易而无私，决然无主，趣物而不两，不顾于虑，不谋于知，于物无择，与之俱往。古之道术有在于是者，彭蒙、田骈、慎到闻其风而悦之。齐万物以为首，曰："天能覆之而不能载之，地能载之而不能覆之，大道能包之而不能辩之。"知万物皆有所可有所不可。故曰："选则不遍，教则不至，道则无遗者矣。"是故慎到弃知去己，而缘不得已。泠汰于物以为道理，曰："知不知，将薄知而后邻伤之者也。"謑髁无任，而笑天下之尚贤也，纵脱无行，而非天下之大圣。椎拍輐断，与物宛转，舍是与非，苟可以免，不师知虑，不知前后，魏然而已矣。推而后行，曳而后往，若飘风之还，若羽之旋，若磨石之隧，全而无非，动静无过，未尝有罪。是何故？

夫无知之物，无建己之患，无用知之累，动静不离于理，是以终身无誉。故曰："至于若无知之物而已，无用贤圣。夫块不失道。"豪杰相与笑之曰："慎到之道，非生人之行，而至死人之理，适得怪焉。"田骈亦然，学于彭蒙，得不教焉。彭蒙之师曰："古之道人，至于莫之是莫之非而已矣。其风窢然，恶可而言？"常反人，不见观，而不免于鲵断。其所谓道非道，而所言之韪，不免于非。彭蒙、田骈、慎到不知道。虽然，概乎皆尝有闻焉者也。

荀子亦以慎到、田骈并称。其《非十二子篇》曰：

尚法而无法，下修而好作。上则取听于上，下则取从于俗。终日言成元典，及训察之，则倜然无所归宿，不可以经国定分。然而其持之有故，其言之成理，足以欺惑愚众，是慎到、田骈也。

今先列慎到学说之要如下。（今所传《慎子》仅五篇，以后学说兼据《意林》、《艺文类聚》、《太平御览》诸书所引。）

（一）**尚法** 慎子曰："法者，所以齐天下之动，至公大定之制也。故智者不得越法而肆谋，辩者不得越法而肆议，士不得背法而有名，臣不得背法而有功。我喜可抑，我忿可窒，我法不可离也；骨肉可刑，亲戚可灭，至法不可阙也。"于是又论法之效曰："法虽不善，犹愈于无法，所以一人心也。夫投钩以分财，投策以分马，非钩策为均也。使得美者不知所以美，使得恶者不知所以恶，此所以塞愿望也。"然法者公物也，故又曰："蓍龟所以立公言也，权衡所以立公正也，书契所以立公信也，法制礼籍所以立公义也。"凡立公，所以弃私也，故最与法相反者莫如私。乃又言曰："法之功莫大，使私不行；君之功莫大，使民不争。今立法而行私，是与法争，其乱甚于无法。立君而尊贤，是贤与君争，其乱甚于无君。故有道之国，法立则私善不行，君立则贤者不争，民一于君断于法，国之大道也。"

（二）**不尚贤** 慎子既以法为主，则以治天下之事，惟在奉法而已。若任贤以为治，必劳而无功，故不尚贤。其言曰："鹰善击也，然日击之则疲而无全翼矣；骥善驰也，然日驰之则蹶而无全蹄矣。"此言恃贤为治之必败也。

（三）**元首不负责任** 今内阁制之国家，法律恒有其最高权，故世称英伦国会万能。虽有君主，惟端拱不负责任，其责任在内阁大臣而已。此今之宪法学者所恒言也。当时慎子亦已知元首不负责任之义，其言所以立君之故曰："古者立天子而贵者，非以利一人也。曰天下无一贵则理无由通，通理以为天下也。故立天子以为天下，非立天下以为天子也；立国君以为国，非立国以为君也；立官长以为官，非立官以为官长也。"于是乃言君于事不当负责曰："君臣之道，臣有事而君无事也。君逸乐而臣任劳，臣尽智力以善其事，而君无与焉，仰成而已。事无不治，治之正道然也。人君自任而务为善以先下，则是代下负任蒙劳也，臣反逸矣。故曰：君人者好为善以先下，则下不敢与君争善以先君矣，皆称所知以自覆掩，有过则臣反责君，逆乱之道也。君之智未必最贤于众也，以未最贤而欲善尽被下，则下不赡矣。若君之智最贤，以一君而尽赡下则劳，劳则有倦，倦则衰，衰则复返于人，不赡之道也。是以人君自任而躬事，则臣不事事也，是君臣易位也，谓之倒逆。倒逆则乱矣。人君任臣而勿自躬，则臣事事矣。是君臣之顺，治乱之分，不可不察也。"

（四）**贵因**　古之言治者，皆贵化民成俗，盖以我之德化之使从我也。法家则尚因时为治，故慎子曰："天道因则大，化则细。因也者，因人之情也。人莫不自为也，化而使之为我，则莫可得而用。是故先王不受禄者不臣，不厚禄者不与。人人不得其所以自为也，则上不取用焉。故用人之自为，不用人之为我，则莫不可得而用矣。此之谓因。"

（五）**尚势**　慎子之说，见于韩非所引者，惟尚势一条。韩非亦言势，而以慎子之言有所未尽也，故为设难焉。其引慎子曰:"飞龙乘云,腾蛇游雾,云罢雾霁,而龙蛇与蚓蚁同矣,则失其所乘也。贤人而诎于不肖者,则权轻位卑也;不肖而能服于贤者,则权重位尊也。尧为匹夫,不能治三人;而桀为天子,能乱天下。吾以此知势位之足恃而贤智之不足慕也。夫弩弱而矢高者,激于风也;身不肖而令行者,得助于众也。尧教于隶属而民不听,至于南面而王天下,令则行,禁则止。由此观之,贤智未足以服众,而势位足以诎贤者也。"于是韩非难之曰:

> 应慎子曰:"飞龙乘云,腾蛇游雾。"吾不以龙蛇为不托于云雾之势也。虽然,择贤而专任势,足以为治乎?则吾未得见也。夫有云雾之势而能乘游之者,龙蛇之材美也。今云盛而蚓弗能乘也,雾醲而蚁不能游也。夫有盛云醲雾之势,而不能乘游者,蚓蚁之材薄也。今桀、纣南面而王天下,以天子之威为之云雾,而天下不免乎大乱者,桀、纣之材薄也。且其人以尧之势治天下,何以异桀之势乱天下者也。夫势者,非能必使贤者用己而不肖者不用己也。贤者用之则天下治,不肖者用之则天下乱。人之情性,贤者寡而不肖者众,而以威势之利济乱世之不肖人,则是以势乱天下者多矣,以势治天下者

寡矣。……且夫尧、舜、桀、纣千世而一出，是比肩随踵而生也。世之治者不绝于中，吾所以为言势者中也。中者上不及尧、舜，而下亦不为桀、纣。抱法处势则治，背法去势则乱。今废势背法而待尧、舜，尧、舜至乃治，是千世乱而一治也。抱法处势而待桀、纣，桀、纣至乃乱，是千世治而一乱也。……夫弃隐栝之法，去度量之数，使奚仲为车，不以成一轮。无庆赏之劝、刑罚之威，释势委法，尧、舜户说而人辩之，不能治三家。夫势之足用亦明矣。而曰"必待贤"，则亦不然矣。且夫百日不食，以待粱肉，饿者不活。今待尧、舜之贤，乃治当世之民，是犹待粱肉而救饿之说也。……夫良马固车，五十里而一置，使中手御之，追速致远，可以及也，而千里可日致也，何必待古之王良乎？且御，非使王良也，则必使臧获败之；治，非使尧、舜也，则必使桀、纣乱之。此味非饴蜜也，必苦莱、亭历也。此则积辩累辞，离理失术。两未之议也。……

尹文之书二篇，经后汉仲长氏撰定，其言推本道家，而重在正名。至论法术及为治之要，与慎到、申、韩相出入，且田骈、彭蒙之言治，亦仅存于是书也。今略述之。

道与法术权势之治 尹文言治，以道为最高。其言曰："大道治者，则名、法、儒、墨自废。以名、法、儒、墨治者，则不得离道。老子曰：'道者，万物之奥、善人之宝、不善人之所宝。'是道治者谓之善人，藉名、法、儒、墨者，谓之不善人。善人之与不善人，名分日离，不待审察而得也。道不足以治则用法，法不足以治则用术，术不足以治则用权，权不足以治则用势。势用则反权，权用则反术，术用则反法，法用则反道，道用则无为而自治。"

名与法之分类 尹文以为有形者必有名，有名者未必有形。形以定名，名以定事，事以检名。察其所以然，则形名之与事物，无所隐其理矣。乃论名与法之分类曰："名有三科，法有四呈。一曰命物之名，方圆白黑是也；二曰毁誉之名，善恶贵贱是也；三曰况谓之名，贤愚爱憎是也。一曰不变之法，君臣上下是也；二曰齐俗之法，能鄙同异是也；三曰治众之法，庆赏刑罚是也；四曰平准之法，律度权量是也。"

术与势 尹文又曰："术者，人君之所密用，群下不可妄窥。势者，制法之利器，群下不可妄为。人君有术而使群下得窥，非术之奥者；有势使群下得为，非势之重者。大要在乎先正名分，使不相侵杂，然后术可秘，势可专。"

名分 尹文又曰："名定则物不竞，分明则私不行。物不竞非无心，由名定，故无所措其心；私不行非无欲，由分明，故无所措其欲。然则心欲人人有之，而得同于无心无欲者，制之有道也。田骈曰：'天下之士，莫肯处其门庭，臣其妻子，必游宦诸侯之朝者，利引之也。游于诸侯之朝，皆志为卿大夫，而不拟于诸侯者，名限之也。'彭蒙曰：'雉兔在野，众人逐之，分未定也；鸡豕满市，莫有志者，分定故也。物奢则仁智相屈，分定则贪鄙不生。圆者之转，非能转而转，不得不转也；方者之止，非能止而止，不得不止也。因圆之自转，使不得止；因方之自止，使不得转，何苦物之失分？故因贤者之有用，使不得不用；因愚者之无用，使不得用。用与不用，皆非我用，因彼所用与不可用，而自得其用，奚患物之乱乎？"

法出于理 韩非由老子所谓道，而兼言理，已述于前章。然彭蒙固先言法出于理矣。尹文记之曰："田子读书，曰：'尧时太平。'宋子曰：'圣人之治以致此乎？'彭蒙在侧，越次答曰：'圣法之治以至此，非圣人之治也。'宋子曰：'圣人与圣法何以异？'彭蒙曰：'子之乱名甚矣！圣人者，自己出也；圣法者，自理出也。理出于己，己非理也；己能出理，理非己也。故圣人之治，独治者也；圣法之治，则无不治矣。此万世之利，惟圣人能该之。'宋子犹惑，质于田子。田子曰：'蒙之言然。'"

《汉志》言申、韩皆称慎到。而庄子以田骈、彭蒙、慎到同列，尹文亦引田骈、彭蒙之言，故知所学渊源不大相远也。韩非虽难慎到论势，而其尊法治与不尚贤之意，实不越于慎到，又必博取尹文诸人之书，故次其要于此焉。

第三节　韩非与商鞅、申不害之关系

今欲知韩非与商鞅、申不害之关系，不可不先明二人之学术如何，而次及韩非所引二人之说。比而论之。

《汉志》法家"《商君》二十九篇"，其书今亡三篇。《史记》称鞅好刑名之学，秦孝公委以政，遂致富强。司马迁论之曰："商君，其天资刻薄人也。迹其欲干孝公以帝王术，挟持浮说，非其质矣。且所因由嬖臣，及得用，刑公子虔，欺魏将卬，不师赵良之言，亦足以发明商君之少恩矣。余尝读商君开塞耕战书，与其人行事相类，卒受恶名于秦，有以也夫！"《史记索隐》："案《商君书》，开谓刑严峻则政化开，塞谓布恩赏则政化塞，其意本于严刑少恩。又为田开阡陌，及言斩敌首赐爵，是耕战书也。"（《索引》解"开塞"与今商子《开塞》篇不同，虽为晁公武诸人所讥，疑其别有所本，仍附著之。）《诸葛亮集》："先主遗诏敕后主曰：'闲暇历观诸子及《六韬》、《商君书》，益人意知。'"则其书固政治家所不可少。今列其学说之要于下。

一、变法　管子治齐，虽不屑屑因袭周制，然未大有所革。至商君出，始昌言变法，而以古为不足循，尝称郭偃之法曰："'论至德者不和于俗，成大功者不谋于众。'法者所以爱民也，礼者所以便事也。是以圣人苟可以强国，不法其故；苟可以利民，不循其礼。"又与甘龙等辩于孝公之前曰："常人安于故习，学者溺于所闻。此两者所以居官而守法，非所与论于法之外也。三代不同礼而王，五霸不同法而霸。故知者作法，而愚者制焉。贤者更礼，而不肖者拘焉。拘礼之人，不足与言事。制法之人，不足与论变。"又引历史之事以为证曰："前世不同教，何古之法？帝王不相复，何礼之循？伏羲、神农，教而不诛。黄帝、尧、舜，诛而不怒。及至文、武，各当时而立法，因事而制礼。礼法以时而定，制令各顺其宜。兵甲器备，各便其用。故曰：治世不一道，便国不必法古。汤、武之王也，不修古而兴；殷、夏之灭也，不易礼而亡。然则反古者未必可非，循礼者未足多是也。"盖商君之言变法，其果决如此。

二、社会与道德之变迁　商君之亟言变法，盖以社会之变迁，与道德之进步，因时为宜，而非有定则。故尝推人性之所始，皆放于私欲而务利己，其为治世有不同。《开塞》篇曰："天地设而民生之。当此之时也，民知其母而不知其父，其道亲亲而爱私。亲亲则别，爱私则险。民众，而以别险为务，则民乱。当此时也，民务胜而力征。务胜则争，力征则讼，讼而无正，则莫得其性也。故贤者立中正，设无私，而民说仁。当此时也，亲亲废，上贤立矣。凡仁者以爱为务，而贤者以相出为道。民众而无制，久而相出为道，则有乱。故圣人承之，作为土地货财男女之分。分定而无制，不可，故立禁。禁立而莫之司，不可，故立官。官设而莫之一，不可，故立君。既立君，则上贤废而贵贵立矣。然则上世亲亲而爱私，中世上贤而说仁，下世贵贵而尊官。上贤者以道相出也，而立君者使贤无用也。亲亲者以私为道也，而中正者使私无行也。此三者非事相反也，民道弊而所重易也，世事变而行道异也。"于是又言曰："民愚，则知可以王；世知，则力可以王。民愚，则力有余而知不足；世知，则巧有余而力不足。民之生，不知则学，力尽而服。故神农教耕而王天下，师其知也。汤、武致强而征诸侯，服其力也。"盖商君之意，以道德为变化无定，故治法亦变化无定，因于世变不同也。此近于近世实在论哲学者之伦理说矣。

三、**排斥旧道德** 周末文敝，凡旧日所称为道德者，大抵名存而实耗。法家乃思有以变之。故商君之所谓道德，以国家为主体，而直无所谓个人。质言之，即以公德为无上，凡自来所行之私德，皆以为有害于国家，而将一切去之。其《去强》篇曰："国有礼，有乐，有《诗》，有《书》，有善，有修，有孝，有弟，有廉，有辨。国有十者，上无使战，必削至亡；国无十者，上有使战，必兴至王。国以善民治奸民者，必乱至削；以奸民治善民者，必治至强。国用《诗》、《书》、礼、乐、孝、弟、善、修治者，敌至必削，不至必贫。国不用八者治，敌不敢至，虽至必却，兴兵而伐必取，取必能有之，按兵而不攻必富。国好力曰以难攻，国好言曰以易攻。国以难攻者起一得十，以易攻者出十亡百。"盖商君之意，重在以实力强国，而不务虚文，以为非悉废旧道德不可。然有旧道德者，固世之所谓善民；而无之者，固世之所谓奸民者也。于是商君谓虽以奸民治善民，亦不为过。且可以治，可以强。以善民为治者反是。其言诚有所激，顾当举世袭常守故之日，安其旧习而不知变，非竭力从事于摧陷廓清，固不足以有为也。

国家主义 商君之非旧道德者，盖欲以行其国家主义，故视国一团体，而以全国之人，皆当服从于国家主权之绝对命令，是以有强国弱民之说。《弱民》篇曰："民弱国强，国强民弱。故有道之国，务在弱民。民朴则强，淫则弱。弱则轨，淫则越志。弱则有用，越志则强。"《说民》篇曰："辩慧，乱之赞也；礼乐，淫佚之征也；慈仁，过之母也；任举，奸之鼠也。乱有赞则行，淫佚有征则用，过有母则生，奸有鼠则不止。八者有群，民胜其政。国无八者，政胜其民。民胜其政国弱，政胜其民兵强。故国有八者，上无以使守战，必削至亡。国无八者，上有以使守战，必兴至王。"惟商鞅持国家主义太甚，故不留个人自由之余地。然其所谓弱民政策者，亦但在裁之以法。法律之权，既至高无上，斯不得不屈个人于其下，夫是以谓之弱民也。故又申《去强》篇"奸民治善民"之义曰："章善则过匿，任奸则罪诛。过匿则民胜法，罪诛则法胜民。民胜法国乱，法胜民兵强。"然则弱民之说，出于商君之国家主义，亦同时出于其法律主义矣。

重刑 商君以营私背公，为人类之性，非禁之以刑，则莫可得而齐。尝主重罚轻赏，以为王者刑九赏一，强国刑七赏三，削国刑五而赏亦五。其《赏刑》篇曰："重刑连其罪，则民不敢试。民不敢试，故无刑也。夫先王之禁，刺杀，断人之足，黥人之面，非求伤民也，以禁奸止过也。故禁奸止过，莫若重刑。刑重而必得，则民不敢试，故国无刑民。国无刑民，故曰：明刑不戮。"又曰："自卿相将军以至大夫庶人，有功于前，有败于后，不为损刑。有善于前，有过于后，不为亏法。忠臣孝子，有过必以其数断。守法守职之吏，有不行王法者，罪死不赦，刑及三族。"盖商君尝临渭水论刑，水为之赤，其酷如此。非尽由其天资刻薄使然，亦以法之不可轻枉耳。其《修权》篇曰："世之为治者，多释法而任私议，此国之所以乱也。先王悬权衡立尺寸，而至今法之，其分明也。夫释权衡而断轻重，废尺寸而意长短，虽察，商贾不用，为其不必也。夫背法度而任私议，皆不类者也。先王知自议誉私之不可任也，故立法明分，中程者赏之，毁公者诛之。赏诛之法，不失其议，故民不争。"然则商君之重刑不少宽假，其意实将以申法之用矣。

尚信 商君以国之所以治者三：一曰法，二曰信，三曰权。法者，君臣之所共操也；信者，君臣之所共立也；权者，君之所独制也。又曰："民信其赏则事功成，信其刑则奸无端，惟明主爱权重信而不以私害法。"盖信为尤重。商君秉政之始，尝悬徙木以示信，即其见端也。且私人既无自由行动之余地，而惟以服从于团体之制裁为义务，则舍信以外，无由立其根本之道德矣。

农战 商君之意，在显耕战之士，而抑浮华之民。其《农战》篇曰："国之所以兴者，农战也。今民求官爵者，皆不以农战，而以巧言虚道，此谓劳民。劳民者，其国必无力。无力者，其国必削。"其《壹言》篇曰："民之喜农而乐战也，见上之尊农战之士，而下辩说技艺之民，而贱游学之人也。"然尤重战士。《赏刑》篇曰："富贵之门，要存战而已矣。彼能战者，践富贵之门。强梗焉，有常刑而不赦。是父兄、昆弟、知识、婚姻、合同者，皆曰：'务之所加，存战而已矣。'夫故当壮者务于战，老弱者务于守，死者不悔，生者务劝，民之欲富贵也，共阖棺而后止。而富贵之门，必出于兵，是故民闻战而相贺也，起居饮食所歌谣者战也。"其鼓励人民尚武之精神，有如此者。

《汉志》杂家："《尸子》二十篇。名佼，鲁人。秦相商君师之。鞅死，佼逃入蜀。"又"《尉缭》二十九篇"。刘向《别录》曰："缭为商君学。"今《尸子》已亡，散见群书中，后人或掇录之。然其言顾与商君不类，惟颇议审名分。又曰："车轻道近，则鞭策不用。鞭策之所用，远道重任也。"刑罚者，民之鞭策也，其犹有尚法之意乎？今传《尉缭》，但论兵事，不知当时何列于杂家，亦不见其所以为商君学者。辄列韩非书述商君者如下：

商君教秦孝公以连什伍，设告坐之过，燔诗书而明法令，塞私门之请，而遂公家之劳，禁游宦之民，而显耕战之士。孝公行之，主以尊安，国以富强。八年而薨，商君车裂于秦。楚不用吴起而削乱，秦行商君法而富强，二子之言也已当矣。然而枝解

吴起而车裂商君者,何也?大臣苦法,而细民恶治也。(《和氏》)

古秦之俗,君臣废法而服私,是以国乱兵弱而主卑。商君说秦孝公以变法易俗,而明公道,赏告奸,困末作而利本事。当此之时,秦民习故俗之有罪可以得免,无功可以得尊显也,故轻犯新法。于是犯之者其诛重而必,告之者其赏厚而信,故奸莫不得而被刑者众,民疾怨而众过日闻。孝公不听,遂行商鞅之法,民后知有罪之必诛,而私奸者众也,故民莫犯,其刑无所加。是以国治而兵强,地广而主尊。此其所以然者,匿罪之罚重,而告奸之赏厚也。此亦使天下必为己视听之道也。(《奸劫弑臣》)

公孙鞅之法也,重轻罪。重罪者,人之所难犯也;而小过者,人之所易去也。使人去其所易,无离其所难,此治之道。夫小过不生,大罪不至,是人无罪而乱不生也。一曰:公孙鞅曰:"行刑重其轻者。轻者不至,重者不来。是谓以刑去刑也。"(《内储说上》)

韩非所称商鞅者,尤在其重刑主义,其余取于商鞅之意者多有。盖言治者至商鞅始变古,故韩非宗尚其学,视他家为切。虽未显述商君,综其义往往相合,故兹于商君之学次之略详云。

《史记》："申不害者，京人也，故郑之贱臣。学术以干韩昭侯，昭侯用为相。内修政教，外应诸侯十五年。终申子之身，国治兵强，无侵韩者。申子之学，本于黄、老而主刑名。著书二篇，号曰《申子》。"《汉志》法家："《申子》六篇。"《论衡》曰："韩用申不害，行其三符，兵不侵境，盖十五年。其后不能用之，又不察其书，兵挫军破，国并于秦。"今《申子》书不传，惟见群书所引一二而已。太史公以"申子卑卑，施之于名实"，韩非则言申子之术。今先约举申子遗说如下：

尚法 《艺文类聚》五十曰引《申子》曰："尧之治也，善明法察令而已。圣君任法而不任智，任数而不任说。黄帝之治天下，置法而不变，使民安乐其法也。"又曰："君必明法正义，若悬权衡以称轻重，所以一群臣也。"按彭蒙亦以尧、舜为圣法之治，与申子同。则知法家所称尧、舜，异于儒者也。

重农 《类聚》五十"又曰"引《申子》曰："昔七十九代之君，法制不一，号令不同，然而俱王天下，何也？必当国富而粟多也。"又《御览》三十七引《申子》曰："四海之内，六合之间，曰：奚贵？曰：贵土。土，食之本也。"

君术 申子论君术，同于慎到，而异于商君。盖商君欲假权于人君。慎到、申不害并欲人主之无为而治，而授其任于臣，责其效于法。此近世责任内阁制度之原理也。古时君权方重，故未得质言，而托于道家虚静之说以喻之，不可不深察矣。《吕氏春秋·任数》篇记申子告韩昭釐侯，使无任耳目心智，其言曰："至智弃智，至仁忘仁，至德不德，无言无思，静以待时，时至而应，心暇者胜。凡应之理，清净公素而正始卒焉。此治纪无唱有和，无先有随。古之王者，其所为少，而其所因多。因者，君术也；为者，臣道也。为则扰矣，因则静矣。因冬为寒，因夏为暑，君奚事哉？故曰：君道无知无为，而贤于有知有为，则得之矣。"

韩非书述申子，大抵主于用术。今抄列如下：

> 赵令人因申子于韩请兵，将以攻魏。申子欲言之君，而恐君之欲己外市也，不则恐恶于赵，乃令赵绍、韩沓尝试君之动貌而后言之。内则知昭侯之意，外则有得赵之功。（《内储说上》）
>
> 大成牛从赵谓申不害于韩曰："以韩重我于赵，请以赵重子于韩。是子有两韩，我有两赵。"（《内储说下》）
>
> 韩昭侯谓申子曰："法度甚不易行也。"申子曰："法者，见功而与赏，因能而受官。今君设法度，而

听左右之请,此所以难行也。"昭侯曰:"吾自今以来知行法矣,寡人奚听矣?"一日,申子请仕其从兄官。昭侯曰:"非所学于子也。听子之谒,败子之道乎?亡其用子之谒?"申子辟舍请罪。(《外储说左上》)

申子曰:"上明见,人备之;其不明见,人惑之。其知见,人饰之;不知见,人匿之。其无欲见,人司之;其有欲见,人饵之。故曰:吾无从知之,惟无为可以规之。"一曰:申子曰:"慎而言也,人且知女。慎而行也,人且随女。而有知见也,人且匿女。而无知见也,人且意女。女有知也,人且臧女。女无知也,人且行女。故曰:惟无为可以规之。"(《外储说右上》)

堂谿公见昭侯曰:"今有白玉之卮而无当,有瓦卮而有当。君渴,将何以饮?"君曰:"以瓦卮。"堂谿公曰:"白玉之卮美,而君不以饮者,以其无当耶?"君曰:"然。"堂谿公曰:"为人主而漏泄其群臣之语,譬犹玉卮之无当。"堂谿公每见而出,昭侯独卧,惟恐梦言泄于妻妾。申子曰:"独视者谓明,独听者谓聪。能独断者,故可以为天下主。"(同上)

申子曰:"失之数而求之信,则疑矣。"(《难三》)

申子曰:"治不逾官,虽知不言。"(同上)

上所引大抵皆言术也。申子之意，多在以术得君，而使君守法。其尝试动貌而后言，与大成牛两韩之譬，得君之术也。教昭侯勿听左右之请，使之守法也。故其要尤当令君勿入他人之言，故己之谋不泄，则他人无间可伺，是以申无为之戒，而堂谿公所以有玉卮之喻。所谓独视独听独断者，盖不欲君以己之言闻于左右，亦申子取君专势之术，非以大权委之人君也。

韩非于管仲、孔子、子思、慎到诸人，皆有所难，而于申不害、商鞅无之。盖以法术之用，具于申、商，韩非虽博采众学，此二家所取尤多矣。惟其《定法》篇，尝比论二家之得失曰：

> 问者曰："申不害、公孙鞅二家之言，孰急于国？"应之曰："是不可程也。人不食，十日则死；大寒之隆，不衣亦死。谓之衣食孰急于人，则是不可一无也，皆养生之具也。今申不害言术，而公孙鞅为法。术者，因任而授官，循名而责实，操杀生之柄，课群臣之能者也，此人主之所执也。法者，宪令著于官府，刑罚必于民心，赏存乎慎法，而罚加乎奸令者也，此臣之所师也。君无术则弊于上，臣无法则乱于下。此不可一无，皆帝王之具也。"
>
> 问者曰："徒术而无法，徒法而无术，其不可何

第四章 刑名法术为韩非学之渊源

哉?"对曰:"申不害,韩昭侯之佐也。韩者,晋之别国也。晋之故法未息,而韩之新法未生;先君之令未收,而后君之令又下。申不害不擅其法,不一其宪令,则奸多。故利在故法前令则道之,利在新法后令则道之。利在故新相反、前后相悖,则申不害虽十使昭侯用术,而奸臣犹有所谲其辞矣。故托万乘之劲韩,七十年而不至于霸王者,虽用术于上,法不勤饬于官之患也。公孙鞅之治秦也,设告相坐而责其实,连什伍而同其罪,赏厚而信,刑重而必。是以其民用力劳而不休,逐敌危而不却,故其国富而兵强。然而无术以知奸,则以其富强也资人臣而已矣。及孝公、商君死,惠王即位,秦法未败也,而张仪以秦殉韩、魏。惠王死,武王即位,甘茂以秦殉周。武王死,昭襄王即位,穰侯越韩、魏而东攻齐,五年而秦不益尺寸之地,乃城其陶邑之封。应侯攻韩八年,城其汝南之封。自是以来,诸用秦者,皆应、穰之类也。故战胜则大臣尊,益地则私封立。主无术以知奸也。商君虽十饰其法,人臣反用其资。故乘强秦之资,数十年而不至于帝王者,法不勤饬于官、主无术于上之患也。"

问者曰:"主用申子之术,而官行商侯之法,可乎?"对曰:"申子未尽于术,商君未尽于法也。申子言：'治不逾官，虽知不言。'治不逾官，谓之守职可也；知而弗言，是谓过也。人主以一国目视，故视莫明焉；以一国耳听，故听莫聪焉。今知而弗言，则人主尚安假借矣？商君之法曰：'斩一首者爵一级，欲为官者为五十石之官；斩二首者爵二级，欲为官者为百石之官。'官爵之迁，与斩首之功相称也。今有法曰：'斩首者令为医、匠。'则屋不成而病不已。夫匠者手巧也，而医者齐药也，而以斩首之功为之，则不当其能。今治官者，智能也；今斩首者，勇力之所加也。以勇力之所加，而治智术之官，是以斩首之功为医、匠也。故曰：二子之于法术，皆未尽善也。"

第五章　韩非与杨、墨及诸子之关系

韩非之时，杨、墨之学盛行。韩非既博观群言，不宜于杨、墨独无所取。章学诚《文史通义》曰："杨朱书亡，多存于《韩子》。"杨朱为我，其术自近名、法家。今按《韩非》引杨朱曰：

> 杨子过于宋东之逆旅，有妾二人，其恶者贵，美者贱。杨子问其故。逆旅之父答曰："美者自美，吾不知其美也；恶者自恶，吾不知其恶也。"杨子谓弟子曰："行贤而去自贤之心，焉往而不美？"（《说林上》）
>
> 杨朱之弟杨布衣素衣而出。天雨，解素衣，衣缁衣而反，其狗不知而吠之。杨布怒，将击之。杨朱曰："子毋击也，子亦犹是。曩者使女狗白而往，黑而来，子岂能毋怪哉？"（《说林下》）

《韩非》又记墨子曰：

> 楚王谓田鸠曰："墨子者，显学也。其身体则可，其言多而不辨，何也？"曰："昔秦伯嫁其女于晋公子，令晋为之饰装，从衣文之媵七十人。至晋，晋人爱其妾而贱公女。此可谓善嫁妾，而未可谓善嫁女也。楚人有卖其珠于郑者，为木兰之柜，薰桂椒之椟，缀以珠玉，饰以玫瑰，辑以羽翠。郑人买其椟而还其珠。此可谓善卖椟矣，未可谓善鬻珠也。今世之谈也，皆道辩说文辞之言，人主览其文而忘有用。墨子之说，传先王之道，论圣人之言，以宣告人。若辩其辞，则恐人怀其文，忘其直，以文害用也；此与楚人鬻珠、秦伯嫁女同类。故其言多不辩。"

> 墨子为木鸢，三年而成，蜚一日而败。弟子曰："先生之巧，至能使木鸢飞。"墨子曰："不如为车輗者巧也。用咫尺之木，不费一朝之事，而引三十石之任，致远力多，久于岁数。今我为鸢三年成，蜚一日而败。"惠子闻之曰："墨子大巧，巧为輗，拙为鸢。"

就以上所引，则韩子之杨、墨，未有所非也。后乃并诋儒、墨之显学，盖将以自树，不得不绌儒、墨。亦其操术实异也。夫墨子兼爱、尚同、明鬼、尚贤诸说，固未韩非所取，至于辩言正辞之术，则韩非仍本诸墨翟以来。晋鲁胜注墨《辩经》，又杂集《刑》、《名》二篇，附于其后，今不传。盖以刑名之学，亦实墨子也。其序曰："墨子著书，作《辩经》以主名本。惠施、公孙龙祖述其学，以正刑名显于世。孟子非墨子，其辩正辞，则与墨同。荀卿、庄周等，皆非毁名家，而不能易其论也。名必有形，察形莫为别色，故有坚白之辨。名必有分，明分莫如有无，故有无序之辨。是有不是，可有不可，是名两可。同而有异，异而有同，是之谓辨同异。至同无不同，至异无不异，是谓辩同辩异。同异生是非，是非生吉凶，取辩于一物。而厚极天下之污隆，名之至也。《庄子·天下》篇谓南方之墨者苦获、已齿、邓陵子之属，俱诵《墨经》，而倍谲不同。相谓别墨，以坚白同异之辩相訾，以觭偶不仵之辞相应。然则名家坚白同异之辨，皆出于墨家。"至于墨家而后为辩之术益详，后之学者，于墨子所言治天下之道，虽有异论，独于辩论之法，则同遵墨家，惟不流于倍谲耳。鲁胜所称孟子、荀卿、庄周皆是也。《墨经》虽见传，而多讹脱不可强解。惟《墨子·非命》篇有立言三表之法，其辞曰：

> 子墨子言曰:"必立仪,言而毋仪,譬犹运钧之上而立朝夕者也,是非利害之辨,不可得而明知也。故言必有三表。"何谓三表?子墨子言曰:"有本之者,有原之者,有用之者。于何本之?上本之于古者圣王之事。于何原之?下原察百姓耳目之实。于何用之?发以为刑政,观其中国家百姓人民之利。此所谓言有三表也。"

盖墨子以为,今之言论,欲明事之是非利害,不可不用三表之法。韩非于坚白游词,多所訾诋。又引田鸠之说,谓墨子言多不辩。则其所诋者是倍谲之墨,而所取者惟是墨子之辨也。倍谲之墨,徒饰无实之言,《汉志》所谓名家之弊,则苟钩釽析乱而已者也。韩非非之曰:

> 宋人有请为燕王以棘刺之端为母猴者,必三月斋,然后能观之。燕王因以三乘养之。右御冶工言王曰:"臣闻人主无十日不燕之斋。今知王不能久斋以观无用之器也,故以三月为期。凡刻削者,以其所以削必小。今臣冶人也,无以为之削,此不然物也。王必察之。"王因囚而问之,果妄,乃杀之。冶人谓王曰:"计无度量,言谈之士多棘刺之说也。"
> (《外储说左上》)

第五章　韩非与杨、墨及诸子之关系

兒说，宋人，善辩者也，持"白马非马也"服齐稷下之辩者。乘白马而过关，则顾白马之赋。故籍之虚辞，则能胜一国；考实按形，不能谩于一人。（同上）

是以乱世之听言也，以难知为察，以博文为辩。其观行也，以离群为贤，以犯上为抗。人主者说辩察之言，尊"贤"、"抗"之行，故夫作法术之人，立取舍之行，别辞争之论，而莫为之正。是以儒服带剑者众，而耕战之士寡；"坚白"、"无厚"之辞章，而宪令之法息。故曰：上不明，则辩生焉。（《问辩》）

韩非所以非名家破析之弊如此。然韩非自为书，其文晓切事情，深得辩言正辞之法，故条理粲然，而议论质实。战国诸子之文，未能或之先也。虽长于指陈利害，顾不为诡察浮说，殆善承墨子三表之术者也。其内、外《储说》之文，尤为一体，语必比偶，事皆征类，后世以为连珠之体所肇。今录其一例于下。

内储说上七术

主之所用也七术，所察也六微。七术：一曰众端参观，二曰必罚明威，三曰信赏尽能，四曰一听责下，五曰疑诏诡使，六曰挟知而问，七曰倒言反事。此七者主之所用也。（以上总纲）观听不参，则诚不闻；听有门户，则臣壅塞。其说在侏儒之梦见灶，哀公之称"莫众而迷"。故齐人见河伯，与惠子之言"亡其半"也。其患在竖牛之饿叔孙，而江乞之说荆俗也。嗣公欲治不知，故使有敌。是以明主拥积铁之类，而察一市之患。

上经，参观一。

卫灵公之时，弥子瑕有宠，专于卫国。侏儒有见公者曰："臣之梦践矣。"公曰："何梦？"对曰："梦见灶，为见公也。"公怒曰："吾闻见人主者梦见日，奚为见寡人而梦见灶？"对曰："夫日，兼烛天下，一物不能当也；人君兼烛一国，一人不能拥也。故将见人主者梦见日。夫灶，一人炀焉，则后人无从见矣。今或者一人有炀君者乎？则臣虽梦见灶，不亦可乎？"

上传。（经中"侏儒梦见灶"句传）

储说之例，先总其大纲，次别其事谊为经，次即经中每句为传。则文体特创，而论指易了。故谓韩非亦能持墨辩之一人也。

第五章　韩非与杨、墨及诸子之关系

韩非之时，其尤盛行于世者，又有纵横之学，尚长短捭阖，诈谖而无信。程子以纵横与法家皆出道家，然韩非固深恶从横之说者也。其言曰：

> 世人多不言国法而言从横。诸侯言从者曰："从成必霸。"而言横者曰："横成必王。"山东之言从横，未尝一日而止也，然而功名不成、霸王不立者，虚言非所以成治也。王者独行之谓王，是以三王不务离合而正，五霸不待从横而察，治内以裁外而已矣。（《忠孝》）

韩非既兼包众家之长，其所渊源者固已广矣，于是欲自建其说于天下，则非先攻去当世之显学不可。而当世显学，无过儒、墨，故韩非置诸家不论，卒乃专诋儒、墨。

> 世之显学，儒、墨也。儒之所至，孔丘也。墨之所至，墨翟也。自孔子之死也，有子张之儒，有子思之儒，有颜氏之儒，有孟氏之儒，有漆雕氏之儒，有仲良氏之儒，有孙氏之儒，有乐正氏之儒。自墨子之死也，有相里氏之墨，有相夫氏之墨，有邓陵氏之墨。故孔、墨之后，儒分为八，墨离为三，

取舍相反不同，而皆自谓真孔、墨。孔、墨不可复生，将谁使定世之学乎？孔子、墨子俱道尧、舜，而取舍不同，皆自谓真尧、舜。尧、舜不复生，将谁使定世儒、墨之诚乎？殷、周七百余岁，虞、夏二千余岁，而不能定儒、墨之真。今乃欲审尧、舜之道于三千岁之前，意者其不可必乎！无参验而必之者，愚也；弗能必而据之者，诬也。故明据先王，必定尧、舜者，非愚则诬也。愚诬之学，杂反之行，明主弗受也。墨者之葬也，冬日冬服，夏日夏服，桐棺三寸，服丧三月，世主以为俭而礼之。儒者破家而葬，服丧三年，大毁扶杖，世主以为孝而礼之。夫是墨子之俭，将非孔子之侈也；是孔子之孝，将非墨子之戾也。今孝、戾、侈、俭俱在儒、墨，而上兼礼之。漆雕之议，不色挠，不目逃，行曲则违于臧获，行直则怒于诸侯，世主以为廉而礼之。宋荣子之议，设不争斗，取不随仇，不羞囹圄，见侮不辱，世主以为廉而礼之。夫是漆雕之廉，将非宋荣之恕也；是宋荣之宽，将非漆雕之暴也。今宽、廉、恕、暴俱在二子，人主兼而礼之。自愚诬之学、杂反之辞争，而人主俱听之，故海内之士，言无定术，行无常仪。夫冰炭不同器而久，寒暑不兼时而至，杂反之学不两立而治。今兼听杂学缪行同异之

第五章　韩非与杨、墨及诸子之关系

辞，安得无乱乎？（《显学》）

藏书策，习谈论，聚徒役，服文学而议说，世主必从而礼之，曰："敬贤士，先王之道也。"夫吏之所税，耕者也；而上之所养，学士也。耕者则重税，学士则多赏，而索民之疾作而少言谈，不可得也。立节参明，执操不侵，怨言过于耳，必随之以剑，世主必从而礼之，以为自好之士。夫斩首之劳不赏，而家斗之勇尊显，而索民之疾战距敌而无私斗，不可得也。国平则养儒、侠，难至则用介士，所养者非所用，所用者非所养。此所以乱也。（同上）

夫爵禄大而官职治，王之道也。磐石千里，不可谓富；象人百万，不可谓强。石非不大，数非不众也，而不可谓富强者，磐不生粟，象人不可使距敌也。今商官技艺之士，亦不垦而食，是地不垦，与磐石一贯也。儒、侠无军劳，显而荣者，则民不使，与象人同事也。夫祸知磐石象人，而不知祸商官儒侠为不垦之地、不使之民，不知事类者也。（同上）

今世儒者之说人主，不言今之所以为治，而语已治之功；不审官法之事，不察奸邪之情，而皆道上古之传誉、先王之成功。儒者饰辞曰："听吾言，则可以霸王。"此说者之巫祝，有度之主不受也。（同上）

今儒、墨皆称先王兼爱天下，则视民如父母。

何以明其然也？曰："司寇行刑，君为之不举乐；闻死刑之报，君为流涕。"此所举先王也。夫以君臣为如父子则必治，推是言之，是无乱父子也。人之性情，莫先于父母，皆见爱而未必治也。虽厚爱矣，奚遽不乱？今先王之爱民，不过父母之爱子，子未必不为乱也。则民奚遽治哉？且夫以法行刑，而君为之流涕，此以效仁，非以为治也。夫垂泣不欲刑者，仁也；然而不可不刑者，法也。先王胜其法不听其臣，则仁之不可以为治亦明矣。且民者固服于势，寡能怀于义。仲尼，天下圣人也，修行明道，以游海内，海内说其仁、美其义而为服役者七十人。盖贵仁者寡，能义者难也。故以天下之大，而为服役者七十人，而为仁义者一人。鲁哀公，下主也。南面君国，境内之民莫敢不臣。民者固服于势，势诚易以服人，故仲尼反为臣，而哀公顾为君。仲尼非怀其义，服其势也。故以义则仲尼不服于哀公，乘势则哀公臣仲尼。今学者之说人主也，不乘必胜之势，而务行仁义则可以王，是求人主之必及仲尼，而以世之凡民皆如列徒，此必不得之数也。（《五蠹》）

儒以文乱法，侠以武犯禁，而人主兼礼之，此所以乱也。夫离法者罪，而诸先生以文学取；犯禁者诛，而群侠以私剑养。故法之所非，君之所取；

吏之所诛,上之所养也。法、趣、上、下,四相反也,而无所定,虽有十黄帝不能治也。故行仁义者非所誉,誉之则害功;工文学者非所用,用之则乱法。(同上)

国平养儒、侠,难至用介士,所利非所用,所用非所利。是故服事者简其业,而游学者日众,是世之所以乱也。且世之所谓贤者,贞信之行也;所谓智者,微妙之言也。微妙之言,上智之所难知也。今为众人法,而以上智之所难知,则民无从识之矣。故糟糠不饱者,不务粱肉;裋褐不完者,不待文绣。夫治世之事,急者不得,则缓者非所务也。(同上)

博习辩智如孔、墨,孔、墨不耕耨,则国何得焉?修孝寡欲如曾、史,曾、史不战攻,则国何利焉?匹夫有私便,人主有公利。不作而养足,不仕而名显,此私便也;息文学而明法度,塞私便而一功劳,此公利也。错法以道民也,而又贵文学,则民之所师法也疑;赏功以劝民也,而又尊行修,则民之产利也惰。夫贵文学以疑法,尊行修以贰功,索国之富强,不可得也。(《八说》)

墨者之徒,可使赴汤蹈火,其流变而为侠,喜济人之急,亦兼爱之意也。故韩非以儒、侠并称,即是儒、墨矣。魏文侯师子夏，其后魏独有博士文学，以尊礼儒者。故韩非深讥文学，所以诋儒者之徒。窃尝论之。古之言治者，儒与道相绌，而墨又与儒相绌。然墨子亲受业孔子之门（《淮南子》说），其学术之异者，仅在等差辨析之间，至于理国之大端，不甚相远也。韩愈以孔子必用墨子，墨子亦必用孔子，不相用不足为孔、墨，岂有见于此耶？若夫刑名法术之学，宗祖道家，其言治也，始较然与儒、墨不同。韩非最晚出，所说益有条贯矣。或曰：荀卿之为儒，已不纯乎儒者之古义，多自礼禁以推刑罚，为韩非、李斯所本，遂流为刑名焉。凡法家言治，多与儒、墨殊者，其详当叙次于后编，今略举其荦荦大者于此。儒、墨并上贤，而法家不尚贤，其异一也。儒、墨并师古，而法家独法今，其异二也。儒、墨并尚智，而法家不尚智，如秦愚民，其异三也。儒、墨并主以德化人，而法家主以势服人，其异四也。儒、墨并重仁爱，而法家重刑罚，其异五也。儒、墨于事贵适于义，而法家独贵用术，其异六也。儒、墨皆以治出于圣，而法家以治出于理，如彭蒙之告宋子，其异七也。儒、墨皆称尧、舜，而法家每诋毁尧、舜，其异八也。儒、墨皆以最高权归之元首，而法家以最高权归之法律，其异九也。儒、墨皆以为人君者，大录万几，自任其责，而法家则以人君惟当端拱无为，委责于臣，课效于法，而君不事事，其异十也。儒、墨皆言常道，以为持一定之道，可万世行之而不敝，法家则主常识，在因循人情，卑议合时务以为治，其异十一也。儒、墨皆不尚战，故孟子谓善战陈者服上刑，墨子亦非攻，而法家多尊显战士，其异十二也。自余细端相异者犹众，不复悉论。韩非为法家之学，故言治务与儒、墨相难。欲知中国古代政治学之流派者，不可不一考法家与儒、墨之异同也。

第二编
韩非之学说

第一章 非法古论

韩非以为一国之治，惟在适合于今，而不在于法古，且世变不同，人情代异，持古法以治之，未有不乱且亡者。非仅推进化之说，谓今必胜古也，总之用古之道，将施之今，在事实万不可济，故诋好言古道者为愚学。曰："且夫世之愚学，皆不知治乱之情，諓諛多诵先古之书，以乱当世之治。智虑不足以避穿井之陷，又妄非有术之士。听其言者危，用其计者乱。此亦愚之至大，而患之至甚者也。俱与有术之士，有谈说之名，而实相去千万也。"（《奸劫弑臣》）方是之时，儒、墨俱称法古，显于诸侯。韩非盖以讽之，以为不足与有术之士并论。且諡曰至愚，殆自处于有术之士也。

韩非又曰："不知治者，必曰：'毋变古，毋易常。'变与不变，圣人不听，正治而已。然则古之无变，常之毋易，在常、古之可与不可。伊尹毋变殷，太公毋变周，则汤、武不王矣。管仲毋易齐，郭偃毋更晋，则桓、文不霸矣。凡人难变古者，惮易民之安也。夫不变古者，袭乱之迹；适民心者，恣奸之行也。民愚而不知乱，上懦而不能更，是治之失也。人主者，明能知治，严必行之，故虽拂于民，必立其治。"(《南面》)盖韩非谓必变古者，以其不适于今也。然所谓适于今者，非适于今之人情而已。人情多愚而慕古，不知治道，虽处大乱之世，犹泰然以为无患。惟有术之士，乃能深忧远计，有所兴革。及其成功，而民受其利，如伊尹、太公、管仲、郭偃，皆本此义，不牵于流俗，故能辅相其君，以成霸王之业也。

夫后之不能法古者，非故为纷更喜事，亦时势变易，不得不然。然法古则逸，变制则劳；法古则简，变制则繁。且其间非必无小小利害，圣人权其轻重缓急，故终不弃此而取彼也。于是韩非乃曰："搢笏干戚，不适有方铁铦；登降周旋，不逮日中奏百；狸首射侯，不当强弩趋发；干城距冲，不若堙穴伏橐。古人亟于德，中世逐于智，当今争于力。古者寡事而备简，朴陋而不尽，故有珧铫而推车者。古者人寡而相亲，物多而轻利易让，故有揖让而传天下者。然而行揖让，高慈惠，而道仁厚，皆推政也。处多事之时，用寡事之器，非智者之备也；当大争之世，而循揖让之轨，非圣人之治也。故智者不乘推车，圣人不行推政。法所以制事，事所以名功也。法立而有难，权其为而事成则立之；事成而有害，权其害而功多则立之。无难之法、无害之功，天下无有也。是以拔千丈之都，败十万之众，死伤者军之乘，甲兵折挫，士卒死伤，而贺战胜得地者，出其小害，计其大利也。夫沐者有弃发，除者伤血肉，为人见其难因释其业，是无术之事也。先圣有言曰：'规有摩而水有波，我欲更之，无奈之何！'此通权之言也。是以说有必立而旷于实者，言有辞拙而急于用者。故圣人不求无害之言，而务无益之事。"（《八说》）由韩非之意，盖天下无有百利而无一害之事。世之执古者，动辄举新法毛发之害，以为不如仍旧之无患，韩非故深切言之，且孰权其事宜，以间执悠悠之口者也。

于是韩非乃以历史之事证之，以益见言法古者之无当。曰："上古之世，人民少而禽兽众，人民不胜禽兽虫蛇。有圣人作，构木为巢，以避群害，而民悦之，使王天下，号曰有巢氏。民食果蓏蚌蛤，腥臊恶臭而伤害腹胃，民多疾病。有圣人作，钻燧取火，以化腥臊，而民说之，使王天下，号之曰燧人氏。中古之世，天下大水，而鲧、禹决渎。近古之世，桀、纣暴乱，而汤、武征伐。今有构木钻燧于夏后氏之世者，必为鲧、禹笑矣；有决渎于殷、周之世者，必为汤、武笑矣。然则今有美尧、舜、禹、汤、武之道于当今之世者，必为新圣笑矣。是以圣人不期修古，不法常行，论世之事，因为之备。"

(《五蠹》)韩非乃深察古今为治之具所以异者，由于人口多少之差，与社会生活状况之不同。其言曰："古者，丈夫不耕，草木之实足食也；妇女不织，禽兽之皮足衣也。不事力而养足，人民少而财有余，故民不争。是以厚赏不行，重罚不用，而民自治。今人有五子不为多，子又有五子，大父未死而有二十五孙。是以人民众而货财寡，事力劳而供养薄，故民争，虽倍赏累罚而不免于乱。尧之王天下也，茅茨不翦，采椽不斵；粝粢之食，藜藿之羹；冬日麑裘，夏日葛衣；虽监门之服养，不亏于此矣。禹之王天下也，身执耒臿，以为民先，股无胈，胫不生毛，虽臣虏之劳，不苦于此矣。以是言之，夫古之让天子者，是去监门之养，而离臣虏之劳也，故传天下而不足为多也。今之县令，一日身死，子孙累世絜驾，故人重之。是以人之于让也，轻辞古之天子，难去今之县令者，厚薄之实异也。夫山居而谷汲者，膢腊而相遗以水；泽居苦水者，买庸而决窦。故饥岁之春，幼弟不饷；穰岁之秋，疏客必食。非疏骨肉，爱过客也，多少之实异也。是以古之易财，非仁也，财多也；今之争夺，非鄙也，财寡也。轻辞天子，非高也，势薄也；重争土橐，非下也，权重也。故圣人议多少、论薄厚为之政。故罚薄不为慈，诛严不为戾，称俗而行也。"（同上）

韩非既知古今风俗异尚，则施政异宜。乃谓道德仁义，但当用于古之世，而在今则直无所取。其言曰："古者文王处丰、镐之间，地方百里，行仁义而怀西戎，遂王天下。徐偃王处汉东，地方五百里，行仁义，割地而朝者，三十有六国。荆文王恐其害己也，举兵伐徐，遂灭之。故文王行仁义而王天下，偃王行仁义而丧其国，是仁义用于古不用于今也。故曰：世异则事异。当舜之时，有苗不服，禹将伐之。舜曰：'不可。上德不厚而行武，非道也。'乃修教三年，执干戚舞，有苗乃服。共工之战，铁铦距者及乎敌，铠甲不坚者伤乎体。是干戚用于古不用于今也。故曰：世异则备变。上古竞于道德，中世逐于智谋，当今争于气力。"（同上）当是之时，儒、墨皆言仁义，称先王兼爱天下，则民视之如父母。韩非之曰："夫以君臣如父子则必治，推是言之，是无乱父子也。人之性情，莫先于父母，皆见爱而未必治也，虽厚爱矣，奚遽不乱？今先王之爱民，不过父母之爱子，子未必不乱也，则民奚遽治哉？"（同上）盖荀卿言人性恶，必待礼禁矫揉而后变。韩非则不尽归之于人性，而以为时势迁异之不得不然。故又曰："古今异俗，新故异备。如欲以宽缓之政，治急世之民，犹无辔策而御駻马，此不知之患也。"于是揆当时之势，见非重刑罚不足为治，曰："今有不才之子，父母怒之弗为改，乡人谯之弗为动，师长教之弗为变。夫以父母之爱、乡人之行、师长之智，三美加焉，而终不动，其胫毛不改。州部之吏，操官兵，推公法，而求索奸人，然后恐惧，变其节，易其行矣。故父母之爱不足以教子，必待州部之严刑者，民固骄于爱、听于威矣。故十仞之城，楼季弗能逾者，峭也；千仞之山，跛牂易牧者，夷也。故明王峭其法而严其刑也。"（同上）然则韩非所以主严刑为治者，盖出于其事实上之经验观，非徒根据空理者矣。

韩非既以严刑为今最适合之治法，乃以古之道非惟不足法而已，且足以致祸乱，不可不察也。故曰："明主之国，无书简之文，以法为教；无先王之语，以吏为师。"（同上）此即秦燔《诗》、《书》之策矣。又曰："乱国之俗，其学者则称先王之道以藉仁义，盛容服而饰辨说以疑当世之法，而贰人主之心。"（同上）又以言古者列于五蠹之民之首，其用意亦可见矣。

然将废古之法，则必取当世所指为古之圣人者而一一攻之，而后其说乃有力而足信。是时天下所称为古之大圣，能施仁政于民者，莫如尧、舜、汤、武矣。于是韩非乃言曰："天下皆以孝悌忠信之道为是也，而莫知察孝悌忠信之道而审行之，是以天下乱；皆以尧、舜之道为是而法之，是以有乱君，有曲父。尧、舜、汤、武，或反君臣之义，乱后世之教者也。尧为人君而君其臣，舜为人臣而臣其君，汤、武人臣而弑其主、刑其尸，而天下誉之，此天下所以至今不治者也。夫所谓明君者，能畜其臣者也；所谓贤臣者，能明法辟、治官职，以戴其君者也。今尧自以为明而不能以畜舜，舜自以为贤而不能以戴尧，汤、武自以为义而弑其君长，此明君且常与，而贤臣且常取也。故至今为人子者，有取其父之家；为人臣者，有取其君之国者矣。"（《忠孝》）又见世之称誉尧、舜者，多自相矛盾，不察其义，因举舜一事曰："历山之农者侵畔，舜往耕焉，期年甽亩正。河滨之渔者争坻，舜往渔焉，期年而让长。东夷之陶者器苦窳，舜与陶焉，期年而器牢。仲尼叹曰：'耕、渔与陶，非舜官也，而舜往为之者，所以救败也。舜其信仁乎！'乃躬耕处苦而民从之。故曰：圣人之德化乎！"韩非难之曰："或问儒者曰：'方此时也，尧安在？'其人曰：'尧为天子。''然则仲尼之圣尧奈何？圣人明察在上位，将使天下无奸也。今耕渔不争，陶器不窳，舜又何德而化？舜之救败也，则是尧有失也。贤舜则去尧之明察，圣尧则去舜之德化，不可两得也。楚人有鬻盾与矛者，誉之曰：'吾盾之坚，物莫能陷也。'又誉其矛曰：'吾矛之利，于物无不陷也。'或曰：'以子之矛，陷子之盾如何？'其人弗能应也。夫不可陷之盾，与无不陷之矛，不可同世而立。今尧、舜之不可两誉，矛盾之说也。且舜救败，期年已一过，三年已三过。舜有尽，寿有尽，天下过无已者。以有尽逐无尽，所止者寡矣。"(《难一》)此盖力辟世人信仰古圣人之深也。

至是韩非乃曰："夫婴儿相与戏也，以尘为饭，以涂为羹，以木为胾。然至日晚必归饷者，尘饭涂羹可以戏而不可食也。夫称上古之传颂，辩而不悫，道先王仁义而不能正国者，此亦可以戏而不可以为治也。"(《外储说左上》)复为设喻以嘲之曰：

> 宋人有耕田者，田中有株，兔走触株，折颈而死。因释其耒而守株，冀复得兔。兔不可复得，而身为宋国笑。今欲以先王之政，治当世之民，皆守株之类也。(《五蠹》)
> 郑县人卜子使其妻为裤，其妻问曰："今裤何如？"夫曰："象吾故裤。"妻因毁新，令如故裤。(《外储说左上》)
> 郑县人有得车轭者，而不知其名，问人曰："此何种也？"对曰："此车轭也。"俄又复得一，问人曰："此是何种也？"对曰："此车轭也。"问者大怒曰："曩者曰车轭，今又曰车轭，是何众也？此女欺我也！"遂与之斗。(同上)
> 夫少者侍长者饮，长者饮，亦自饮也。一曰：鲁人有自喜者，见长年饮酒不能釂则唾之，亦效唾

之。一曰：宋人有少者，亦欲效善，见长者饮无余，非斟酒饮也，而欲尽之。(同上)

书曰："绅之束之。"宋人有治者，因重带自绅束也。人曰："是何也？"对曰："书言之，固然。"(同上)

书曰："既雕既琢，还归其朴。"梁人有治者，动作言学，举事于文，曰难之，顾失其实。人曰："是何也？"对曰："书言之，固然。"(同上)

郑人有且置履者，先自度其足而置其坐，至之市而忘操之。已得履，乃曰："吾忘持度。"反归取之。及反，市罢，遂不得履。人曰："何不试之以足？"曰："宁信度，毋自信也。"(同上)

韩非以为先王之道不宜于今，而世谓不能更者，是无异宋人守株、卜子妻为弊袴、郑人得车轭与少者饮酒也。先王之言，有其所为小，而世意之大者；有其所为大，而世意之小者，未可必知也，无异宋人之解书与梁人读记也。至不求适夫国事，惟屑屑焉谋合乎先王，皆归取度者而已矣。故将废先王之教，以"立法术，设度数，所以利民萌，便众庶也"(《问田》)治国之道，惟在适其时耳，岂必法古哉！自来道德法律，皆与时变迁。为治者当察其因革之端，举而措之，不可执古之术以自画也。

第二章　法术论

商鞅言法，申不害言术，至韩非始兼言之，故韩非之学，无不括于法术之中也。今就其书所言法术之事，详为分析论之。

一、法术之原

《史记》称韩非喜刑名法术之学，而归本于黄、老。今其书自尧、舜、汤、武、孔子，以及其他圣贤，无不遭其掊击，独于老子推崇甚至，且著《解老》《喻老》二篇，以释厥旨。故韩非之刑名法术，实近绍申、商，而远宗老子者也，且于《老子》详加训说，无异奉为刑名学之经典。今以韩非所谓道，与老子所谓道者较之。

> 道者，万物之始、是非之纪也。是以明君守始以知万物之源，治纪以知善败之端。故虚静以待令，令名自命也，令事自定也。（《主道》）

上语实出于老子"无名天地之始，有名万物之母"之意。盖道为万物之本原、是非邪正之枢机，然其本体虚而无刑，静而无所为。故人君治国临下，皆当法道而处之以虚静，而名与事自得其任焉，此又老子"致虚极，守静笃"之意也。于是韩非又曰：

> 虚则知实之情，静则知动者正。有言者自为名，有事者自为形。形名参同，君乃无事焉，归之其情。（《主道》）
>
> 道在不可见，用在不可知。虚静无事，以暗见疵。见而不见，闻而不闻，知而不知。知其言以往，勿变勿更，以参合阅焉。（同上）
>
> 人主将欲禁奸，则审合刑名者，言不异事也。为人臣者，陈事而言，君以其言授之事，以其事责其功。（《二柄》）

人君既虚静不自事，而任其事于臣下，则不可不行形名参同之法。盖虚静则能见道理，语在《解老》篇。道理者，法术之所由生也。言即是名，事即是刑，虚静无为，审于道理，斯能参合形名，以授臣下之事，而责臣下之功。彭蒙谓"法自理出"，韩非言之尤详，曰："凡物之有形者易裁也，易割也。何以论之？有形则有短长,有短长则有小大,有小大则有方圆,有方圆则有坚脆,有坚脆则有轻重,有轻重则有白黑。短长、大小、方圆、坚脆、轻重、白黑之谓理,理定而物易割也。故议于大庭而后言则立,权议之士知之矣。故欲成方圆而随其规矩,则万事之功形矣。"(《解老》)此与尹文论形名相近。

然《扬权》篇论形名尤悉。其言曰:"用一之道,以名为首。名正物定,名倚物徙。故圣人执一以静,使名自命,令事自定。不见其采,下故素正。因而任之,使自事之;因而予之,彼将自举之。正与处之,使皆自定。上以名举之,不知其名,复修其形。形名参同,用其所生。二者诚信,下乃贡情。谨修所事,待命于天。毋失其要,乃为圣人。"又曰:"夫道者,弘大而无形;德者,核理而普至。至于群生,斟酌用之,万物皆盛,而不与其宁。道者,下周于事,因稽而命,与时生死。参名异事,通一同情。故曰:道不同于万物,德不同于阴阳,衡不同于轻重,绳不同于出入,和不同于燥湿,君不同于群臣。凡此六者,道之出也。道无双,故曰一。是故明君贵独道之容。君臣不同道,下以名祷。君操其名,臣效其形,形名参同,上下和调也。"此益自上义而推演之矣。又曰:"虚静无为,道之情也;参伍比物,事之形也。参之以比物,伍之以合虚。根干不革,则动泄不失矣。"盖形名为法术之原，故曰君操其名，臣效其形，循名以责实。其是非功罪之间，疑似辐辏。而轻重相贷，如持权衡规矩以量物，不可使有丝忽之失。非天下之至精，孰能与于是？精察形名，即法术之所由立者矣。

法术既由形名而出，如黑白之不可稍混，故其极或流于刻，亦其学然也。韩非每以法术并称，至若形名参同之法，则尤在于术。《难三》曰："法者，著之图籍，设之于官府，而布之于百姓者也。术者，藏之于胸中，以偶众端，而潜御群臣者也。故法莫如显，而术不欲见。"是其义矣。

二、法术与国家

韩非以为国家之兴废存亡，无不在法者。故曰："治强生于法，弱乱生于阿。"（《外储说右下》）又曰："国无常强，无常弱。奉法者强则国强，奉法者弱则国弱。"（《有度》）盖必奉法者强，而后于法无所阿枉也，则其强也孰御焉。于是引历史之事为证曰："荆庄王并国二十六，开地三千里；庄王之氓社稷也，而荆以亡。齐桓公并国三十，启地三千里；桓公之氓社稷也，而齐以亡。燕襄王以河为境，以蓟为国，袭涿、方城，残齐，平中山，有燕者重，无燕者轻；襄王之氓社稷也，而燕以亡。魏安釐王攻赵救燕，取地河东，攻尽陶、魏之地；加兵于齐，私平陆之都；攻韩拔管，胜于淇下；睢阳之事，荆军老而走；蔡、召陵之事，荆军破。兵四布于天下，威行于冠带之国，安釐死而魏以亡。故有荆庄、齐桓公，则荆、齐可以霸；有燕襄、魏安釐，则燕可以强。今皆亡国者，其群臣官吏皆务所以乱而不务所以治也。其国乱弱矣，又皆释国法而私其外，则是负薪而救火也，乱弱甚矣。故当今之时，能去私曲、就公法者，民安而国治；能去私行、行公法者，则兵强而敌弱。"（同上）盖荆、齐、燕、魏之能强于一时者，以其奉法者强也。及桓公诸人既殁，氓社稷犹是也，而奉法者亡焉，故国随以亡。然则国强弱，亦视其奉法如何耳。

因益推国家安危之道，其存乎法者恒多。《安危》篇曰："安术有七，危道有六。安术：一曰赏罚随是非，二曰祸福随善恶，三曰死生随法度，四曰有贤不肖而无爱恶，五曰有愚智而无非誉，六曰有尺寸而无意度，七曰有信而无诈。危道：一曰斲削于绳之内，二曰断割于法之外，三曰利人之所害，四曰乐人之所祸，五曰危人之所安，六曰所爱不亲、所恶不疏。如此，则人失其所以乐生，而忘其所以重死。人不乐生，则人主不尊；不重死，则令不行也。"盖危道之所以危者，莫大于法令不行；安道反是。故善为国家者之于法也，使民赖之如布帛菽粟之不可离，非尽强之也。于是申言之曰："号令者，国之舟车也。安则智廉生，危则争鄙起。故安国之法，若饥而食、寒而衣，不令而自然也。先王寄理于竹帛，其道顺，故后世服。今使人去饥寒，虽贲、育不能行。废自然，虽顺道而不立。强勇之所不能行，虽上不能安。上以无厌责已尽，则下对无有，无有则轻法。法所以为国也而轻之，则功不立、名不成。"

然法治之极，其效又何如者？韩非尝论之曰："古之全大体者：望天地，观江海，因山谷，日月所照，四时所行，云布风动；不以智累心，不以私累己；寄治乱于法术，托是非于赏罚，属轻重于权衡；不逆天理，不伤情性；不吹毛而求小疵，不洗垢而察难知；不引绳之外，不推绳之内；不急法之外，不缓法之内；守成理，因自然；祸福生乎道法，而不出乎爱恶；荣辱之责，在乎己而不在乎人。故至安之世，法如朝露，纯朴不散，心无结怨，口无烦言。故车马不疲弊于道路，旌旗不乱于大泽，万民不失命于寇戎，雄骏不创寿于旗幢；豪杰不著名于图书，不录功于盘盂，记年之牒空虚。故曰：利莫长于简，福莫久于安。使匠石以千岁之寿，操钩视规矩，举绳墨而正太山，使贲、育带干将而齐万民，虽尽力于巧，极盛于寿，太山不正，民不能齐。故曰：古之牧天下者，不使匠石极巧以败太山之体，不使贲、育尽威以伤万民之性。因道全法，君子乐而大奸止。澹然闲静，因天命，持大体。故使人无罹法之罪，鱼无失水之祸。如此，天下少不治。"（《大体》）又曰："故大人寄形于天地而万物备，历心于山海而国家富。上无忿怒之毒，下无伏怨之患，上下交扑，以道为舍。故长利积，大功立，名成于前，德垂于后，治之至也。"（同上）

韩非盖以国之强弱安危，无不在法；法之于民，非有所强，犹饥寒之必须衣食也。至于法治之效，古罕推言之者，韩非乃于此构成其理想之国家，以为至安之世，法如朝露，纯朴不烦，复反于道德，实本老氏"圣人亦不伤民"之旨。（《解老》篇释之甚详）当时非无刑法也，然民自乐生顺理而不犯之，故曰"因道全法"。又曰："上下交扑，以道为舍。"法出乎道而归乎道，浑浑灏灏，和气流被，则自然刑措不用，是韩非所意为法治之极者也。

三、法术与人君

（甲）君之地位

无为 自道家言人君贵无为，孔子之称尧、舜亦然，法家盖窃取其意，而用则不同。法家以至高权归诸法律，将使一国悉受治于法律之下，而君乃无事焉。尹文、慎到之徒，颇持此义，至韩非言之益精。法律者，虽称君之名以行之，实委其责于臣下，惟臣下有大奸，君始自负其责。故君主者，超然于道德法律之上，适如英国宪法上之元首，所谓 Figure Head 亦虚设其仪而已，但察人臣之能奉法与否，余无所问。故曰："形名参同，君乃无事焉，归之其情。"（《主道》）又曰："权不欲见，素无为也。事在四方，要在中央。圣人执要，四方来效。虚而待之，彼自以之。"（《扬权》）又曰："夫物者有所宜，材者有所施，各处其宜，故上下无为。使鸡司夜，令狸执鼠，皆用其能，上乃无事。"（同上）韩非所以论人君之地位如此。

韩非以为国之治乱，悉视其法度之良否，而不恃人君之材能。且尤可忧者，则在人君自用其材智，至于破坏法律；或人臣窥君之好恶，而多其道诱之以坏法，非所以建设永久不易之政治也。盖法度既立，虽庸主可治，若不用法而任私，虽遇英雄之君，难以定俗而强国。韩非深有见于此，于是以为宁使人主一切自立其智能，以听治于法，责职于官，故使之法虚静之道，且称之曰贤主，誉之曰圣人，其意亦可见矣。故曰："君无见其所欲，君见其所欲，臣将自雕琢；君无见其意，君见其意，臣将自表异。故曰：去好去恶，臣乃见素。去旧去智，臣乃自备。故有智而不以虑，使万物知其处；有勇而不以怒，使群臣尽其武。是故去智而有明，去贤而有功，去勇而有强。群臣守职，百官有常，因能而使之，是谓习常。故曰：寂乎其无位而处，漻乎莫得其所。明君无为于上，群臣竦惧乎下。明君之道，使智者尽其虑，而君因以断事，故君不穷于智；贤者勘其材，君因而任之，故君不穷于能；有功则君有其贤，有过则臣任其罪，故君不穷于名。是故不贤而为贤者师，不智而为上智者正。臣有其劳，君有其成功。此之谓贤主之经也。"（《主道》）又曰："夫为之人主而身察百官，则日不足，力不给。且上用目则下饰观，上用虑则下繁辞。先王以三者为不足，故舍己能而因法数，审赏罚。先王之所守要，故法省而不侵。独制四海之内，聪智不得用其诈，阴躁不得关其佞，奸邪无所依。"（《有度》）又曰："上有所长，事乃不方。矜而好能，下之所欺。辩惠好生，下因其材。上下易用，国故不治。"（《扬权》）又曰："圣人之道，去智与巧。智巧不去，难以为常。民人用之，其身多殃；主上用之，其国危亡。因天之道，反形之理。督参鞠之，终则有始。虚以静后，未尝用己。"（同上）此皆申言人君当无为任法，而不自负责任之义也。

势 人君虽以守法责之臣，而法必假君之势以行之。慎子所谓"天下无一贵，则理无由通"，立君所以通理也。故人君之所处，即势是已。于是韩非论之曰："夫有材而无势，虽贤不能制不肖。故立尺材于高山之上，则临十仞之谿，材非长也，位高也。桀为天子，能制天下，非贤也，势重也。尧为匹夫，不能正三家，非不肖也，位卑也。千钧得船则浮，锱铢失船则沉，非千金轻、锱铢重也，有势之与无势也。故短之临高以位，不肖之制贤也以势。人主者，天下一力以共载之，故安；众同心以共立之，故尊。人臣守所长，尽所能，故忠以尊主。主御忠臣，则长乐生而功名成。名实相持而成，形影相应而立，故臣主同欲而异使。人主之患，在莫之应。故曰：一手独拍，虽疾无声。人臣之忧，在不得一。故曰：右手画圆，左手画方，不能两成。故曰：至治之国，君若枹，臣若鼓，技若车，事若马。故人有余力易于应，而技有余巧便于事。立功者不足于力，亲近者不足于信，成名者不足于势，近者已亲，而远者不结，则名不称实者也。圣人德若尧、舜，行若伯夷，而位不载于世，则功不立、名不遂。故古之能致功名者，众人助之以立，近者结之以成，远者誉之以名，尊者载之以势。如此，故太山之功，长立于国家；而日月之明，久著于天地。此尧之所以南面而守名，舜之所以北面而效功也。"（《功名》）由此观之，则人君不在材能，惟在乘势。然势也者，非力征经营而成之者也，盖因其便而乘之而已。故曰："明主不穷乌获以其不能自举，不困离朱以其不能自见。因可势，求易道，故用力寡而功名立。"（《观行》）又曰："明君之所以立功成名者四：一曰天时，二曰人心，三曰技能，四曰势位。非天时，虽十尧不能冬生一穗；逆人心，虽贲、育不能尽人力。故得天时，则不务而自生；得人心，则不趣而自劝；因技能，则不急而自疾；得势位，则不进而名成。"（《功名》）盖势之为物，惟在顺天时人心，而因技能以处之耳。所谓顺天时人心而因技能以处之者，即立法度而假势以行之是也。韩非于难慎子之言势发其义曰："吾所以为言势者中也。中者，上不及尧、舜，而下亦不为桀、纣。抱法处势则治，背法去势则乱。"又曰："夫弃隐括之法，去度量之数，使奚仲为车，不能成一轮。无庆赏之劝、刑罚之威，释势委法，尧、舜户说而人辩之，不能治三家。"（《难势》）故势待法而后尊，法待势而后行，二者相须而不可离，然则立势即所以行法也。

夫法度不合于时，不顺于人心，固莫得而立矣。因于时而顺于人，而假之以为权威，即所谓势也。故曰："善任势者国安，不知因其势者国危。"（《奸劫弑臣》）法度既立，人君操其柄，则势莫重焉。故曰："势重者，人君之渊也。君人者，势重于人臣之间，失则不可复得也。简公失之于田成，晋公失之于六卿，而邦亡身死。"（《喻老》）又曰："权势不可以借人。上失其一，臣以为百。"（《内储说下》）又曰："威势者，人主之筋力也。今大王得威，左右擅势，是人主失力；人主失力而能国者，千无一人。虎豹之所以能胜人、执百兽者，以其爪牙也，而使虎豹失其爪牙,则人必制之矣。今势重者,人主之爪牙也,君人而失其爪牙,虎豹之类也。"(《人主》)盖人主之要,惟在持其势使勿入于臣下之手,以明敕法度,则虽庸主可以为治。故曰:"处势而令下者,庸主之所易也。"(《难一》)又曰:"夫猎者,托车舆之安,用六马之足,使王良佐辔,则身不劳而易及轻兽矣。今释车舆之利,捐六马之足,与王良之御,而下走逐兽,则虽楼季之足,无时及兽矣。托良马固车,则臧获有余。国者,君之车也;势者,君之马也。"(《外储说右上》)

(乙)人君与法术之士

人君处其势位,将以治国,固在法度矣。然法度者,非人君自制之也,盖将求法术之士与制定之,而后国可得而安也。法术之士不饰古先之说,不慕仁义之名,惟察当今之所宜,施用法术,以成至治之道。韩非以为当世儒、墨之徒,皆未足与于此也。尝论之曰:"至治之法术已明矣,而世学者弗知也。且夫世之愚学,皆不知治乱之情,謞谋多诵先古之书,以乱当世之治;智虑不足以避穿井之陷,又妄非有术之士。听其言者危,用其计者乱,此亦愚之至大而患之至甚者也。俱与有术之士有谈说之名,而实相去千万也,此夫名同而实有异者也。夫世愚学之人比有术之士也,犹蚁垤之比大陵也,其相去远矣。"(《奸劫弑臣》)夫法术之士,外既蔽于愚学,而内又与人君近习之臣不相容,非人君竭诚而求之,则类难以自进。韩非之言曰:"且法术之士,与当途之臣不相容也。何以明之?主有术士,则大臣不得制断,近习不敢卖重;大臣、左右权势息,则人主之道明矣。今则不然,其当途之臣得势擅势以环其私,左右近习朋党比周以制疏远,则法术之士奚时得进用,人主奚时得论裁?故有术不必用,而势不两立,法术之士焉得无危?故君人者,非能退大臣之议,而背左右之讼,独合乎道言也,则法术之士安能蒙死亡之危而进说乎?此世之所以不治也。"(《人主》)又曰:"智术之士,必远见而明察,不明察不能烛私;能法之士,必强毅而劲直,不劲直不能矫奸。人臣循令而从事,案法而治官,非谓重人也。重人也者,无令而擅为,亏法以利私,耗国以便家,力能得其君,此所谓重人也。智术之士明察,听用,且烛重人之阴情;能法之士劲直,听用,且矫重人之奸行。故智术能法之士用,则贵重之臣必在绳之外矣。是智法之士与当途之人,不可两存之仇也。"(《孤愤》)又曰:"法术之士欲干上者,非有所信爱之亲、习故之泽也,又将以法术之言矫人主阿辟之心,是与人主相反也。处势卑贱,无党孤特。夫以疏远与近爱信争,其数不胜也;以新旅与习故争,其数不胜也;以反主意与同好争,其数不胜也;以轻贱与贵重争，其数不胜也；以一口与一国争，其数不胜也。法术之士操五不胜之势，以岁数而又不得见；当途之人乘五胜之资，而旦暮独说于前。故法术之士奚道得进，而人主奚时得悟乎？故资必不胜而势不两存，法术之士焉得不危？其可以罪过诬者，公法而诛之；其不可被以罪过者，以私剑而穷之。是明法术而逆主上者，不僇于吏诛，必死于私剑矣。"（同上）韩非尝设以明之曰："宋人有酤酒者，升概甚平，遇客甚谨，为酒甚美，悬帜甚高，然不售，酒酸。怪其故，问其所知闾长者杨倩。倩曰：'汝狗猛耶？'曰：'狗猛，则酒何故而不售？'曰：'人畏焉。或令孺子怀钱挈壶瓮而往酤，而狗迎而龁之，此酒所以酸而不售也。'有道之士怀其术而欲以明万乘之主，大臣为猛狗迎而龁之，此人主之所以蔽胁，而有道之士所以不用也。"（《外储说右上》）又引管仲社鼠之对而喻之曰："夫大臣为猛狗而龁有道之士矣，左右又为社鼠而间主之情矣，人主不觉。如此，主焉得无壅，国焉得无亡乎？"（同上）

虽然，法术之士固难得而进，然国家不得法术之士，则恒致于乱亡。故人主不可不力去壅蔽，而求与之共大事。盖既得法术之士而臣之，则人主可以免于左右之欺，以徐图致治之方矣。故曰："审得失有法度之制者，加以群臣之上，则主不可欺以诈伪；审得失有权衡之称者，以听远事，则主不可欺以天下之轻重。"(《有度》)盖得善为法度之臣，授之以政，加群臣之上，又因其妙于权衡而使之听远，则诈伪轻重之事自无得而欺焉。于是又深慨法术之士，怀抱远大，世终不悟。因论法术之士所以为治者曰："圣人者，审于是非之实，察于治乱之情也。故其治国也，正明法，陈严刑，将以救群生之乱，去天下之祸，使强不凌弱，众不暴寡，耆老得遂，幼孤得长，边境不侵，君臣相亲，父子相保，而无死亡系虏之患，此亦功之至厚者也。愚人不知，顾以为暴。愚者固欲治，而恶其所以治；皆恶危，而喜其所以危者。何以知之？夫严刑重罚者，民之所恶也，而国之所以治也；哀怜百姓、轻刑罚者，民之所喜，而国之所以危也。圣人为法国者，必逆于世而顺于道德。知之者，同于义而异于俗；弗知者，异于义而同于俗。天下知之者少，则义非矣。处非道之位，被众口之谮，溺于当世之言，而欲当严天子而求安，几不亦难哉！此夫智士所以至死而不显于世也。"(《奸劫弑臣》)大法术之士，所尚者严厉之治，而又好诋近习之臣。人君闻其言，无以其逆耳而不听也。故曰："扁鹊之治病也，以刀刺骨；圣人之救危国也，以忠拂耳。刺骨，故小痛在体，而长利在身；拂耳，故小逆在心，而久福在国。"(《安危》)又曰："人臣有议当途之失、用事之过、举臣之情，人主不心藏而漏之近习能人，使人臣之欲有言者，不敢不下适近习能人之心，而乃上以闻人主。然则端言直道之人不得见，而忠直日疏。"（《三守》）此亦堂谿公玉卮无当之说也。人君能听拂耳之言，又力去壅蔽，不泄言于左右之臣，则法术之士庶可得而用矣。

韩非者，以法术立士自命者也。堂谿公谓韩子曰："臣闻服礼辞让，全之术也；修行退智，遂之道也。今先生立法术，设度数，臣窃以为危于身而殆于躯。何以效之？所闻先生术曰：'楚不用吴起而削乱，秦行商君而富强。二子之言已当矣，然而吴起支解而商君车裂者，不逢世遇主之患也。'逢遇不可必也，患祸不可斥也。夫舍乎全遂之道，而肆乎危殆之行，窃为先生无取焉。"韩子曰："臣明先生之言矣，夫治天下之柄，齐民萌之度，甚未易处也。然所以废先王之教，而行贱臣之所取者，窃以为立法术，设度数，所以利民萌、便众庶之道也。故不惮乱主暗上之患祸，而必思以齐民萌之资利者，仁智之行也。惮乱主暗上之患祸，而避乎死亡之害，知明而不见民萌之资夫利身者，贪鄙之为也。臣不忍向贪鄙之为，不敢伤仁智之行。"（《问田》）其引天下为己任有如此者。盖韩非之时，未知代议之制，故不知以立法之责任委之议会，而以为法律之定，当出于能法之贤士，在君悉意以求之。其所见虽若未至，然其立法必合于一时代之精神，又以法律立于全国最高之地位，与今世法律学者所言，无以异也。

（丙）人君之责任

人君之地位，虽在无为而委其责任于臣，然当臣下有大奸之时，则不得不自负其责任。故当求法术之士，与之制法，而操任免官吏之权，视其果能尽力守法与否。是以人君之责任，可于下之三事见之。

一、**察奸** 奸臣当涂，则国家且沦于危亡，而法术之士不得进。故人君之责任，首在察奸，即韩非所谓参合刑名以禁奸者也。禁奸之事，至其奸已露，不过审其罪之大小，而下之以罚而已。若夫在奸状未发之前，人君不可不悉心察之，或遏之使奸不生。及既发之后，则当决然行罚。尝论遏奸之道曰："丞掩其迹，匿其端，下不能原；去其智，绝其能，下不能意。绝其能，破其意，毋使人欲之。"（《主道》）此谓人主不示所好恶，则人臣不敢窥其意而为奸也。又曰："不谨其闭，不固其门，虎乃将存。不慎其事，不掩其情，贼乃将生。弑其主，代其所，人莫不与，故谓之虎。处其主之侧为奸臣，闻其主之忒，故谓之贼。散其党，收其余，闭其门，夺其辅，国乃无虎。大不可量，深不可测，同合刑名，审验法式，擅为者诛，国乃无贼。"（同上）此言奸之所以生及其危害，当便宜以图去之也。于是乃申言之曰:"人主有五壅:臣闭其主曰壅,臣制财利曰壅,臣擅行令曰壅,臣得行义曰壅,臣得树人曰壅。臣闭其主,则主失位;臣制财利,则主失德;臣擅行令,则主失制;臣得行义,则主失明;臣得树人,则主失党。此人主之所以独擅也,非人臣之所以得操也。人主之道,静退以为宝。不自操事而知拙与巧,不自计虑而知福与咎。是以不言而善应,不约而善增。言已应则执其契,事已增则操其符。符契之所合,赏罚之所生也。故群臣陈其言,君以其言授其事,以事责其功。功当其事,事当其言,则赏;功不当其事,事不当其言,则诛。"(同上)此言奸之不可容,及其罚之之道也。

至是韩非乃论"人臣之所以成奸者",有八术:

一曰同床 何谓同床?曰:贵夫人,爱孺子,便僻好色,此人主之所惑也。托于燕处之虞,乘醉饱之时,而求其所欲,此必听之术也。为人臣者,内事之以金玉,使惑其主,此之谓"同床"。

二曰在旁 何谓在旁?曰:优笑侏儒,左右近习,此人主未命而唯唯、未使而诺诺,先意承旨、观貌察色以先主心者也,此皆俱进俱退、皆应皆对,一辞同轨以移主心者也。为人臣者,内事之以金玉玩好，外为之行不法，使之化其主。此之谓"在旁"。

三曰父兄 何谓父兄？曰：侧室公子，人主之所亲爱也；大臣廷吏，人主之所与度计也。此皆尽力毕议、人主之所必听也。为人臣者，事公子侧室以音声子女，收大臣廷吏以辞言，处约言事，事成则进爵益禄，以劝其心，使犯其主。此之谓"父兄"。

四曰养殃 何谓养殃？曰：人主乐美宫室台池，好饰子女狗马以娱其心，此人主之殃也。为人臣者，尽民力以美宫室台池，重赋敛以饰子女狗马，以娱其主而乱其心，从其所欲而树私利其间。此谓"养殃"。

五曰民萌 何谓民萌？曰：为人臣者，散公财以说民人，行小惠以取百姓，使朝廷市井皆劝誉己，以塞其主而成其所欲。此之谓"民萌"。

六曰流行 何谓流行？曰：人主者，固壅其言谈，希于听论议，易移以辩说。为人臣者，求诸侯之辩士，养国中之能说者，使之以语其私，为巧文之言、流行之辞，示之以利势，惧之以患害，施属虚辞，以坏其主。此之谓"流行"。

七曰威强 何谓威强？曰：君人者，以群臣百姓为威强者也。群臣百姓之所善，则君善之；非群臣百姓之所善，则君不善之。为人臣者，聚带剑之客，养必死之士，以彰其威，明为己者必利，不为己者必死，以恐其群臣百姓而行其私。此之谓"威强"。

八曰四方 何谓四方？曰：君人者，国小则事大国，兵弱则畏强兵。大国之所索，小国必听；强兵之所加，弱兵必服。为人臣者，重赋敛，尽府库，虚其国以事大国，而用其威求诱其君。甚者举兵以聚边境而制敛于内，薄者数内大使以震其君，使之恐惧。此之谓"四方"。

于是韩非论防此"八奸"之注曰："明君之于内也，娱其色而不行其谒，不使私请。"所以防初奸之"同床"也。"其于左右也，使其身必责其言，不使益辞。"所以防二奸之"在旁"也。"其于父兄大臣也，听其言也，必使以罚任于后，不令妄举。"所以防三奸之"父兄"也。"其于观乐玩好也，必令之有所出，不使擅进，不使擅退，群臣虞其意。"所以防四奸之"养殃"也。"其于德施也，纵禁财，发坟仓，利于民者必出于君，不使人臣私其德。"所以防五奸之"民萌"也。"其于说议也，称誉其所善，毁疵其所恶，必实其能，察其过，不使群臣相为语。"所以防六奸之"流行"也。"其于勇力之士也，军旅之功无逾赏，邑斗之勇无赦罪，不使群臣行私财。"所以防七奸之"威强"也。"其于诸侯之求索也，法则听之，不法则距之。"所以防八奸之"四方"也。盖奸之所生，往往亲习狎昵之地，故《备内》篇又言人主于妻子皆不可信，所以防奸之道，其备如此。

夫人臣之所以为奸者，以人臣与人主之利异故也。故曰："人臣有大罪，人主有大失，臣主之利，与相异者也。何以明之哉？曰：主利在有能而任官，臣利在无能而得事；主利在有劳而爵禄，臣利在无功而富贵；主利在豪杰使能，臣利在朋党用私。是以国地削而私家富，主上卑而大臣重。故主失势而臣得国，主更称蕃臣，而相室剖符。此人臣之所以谲主便私也。"（《孤愤》）又曰："君臣之利异，故人臣莫忠，故臣利立而主利灭。是以奸臣者召敌兵以内除，举外事以眩主，苟成其私利，不顾国患。"（《内储说下》）盖当时国家学之区别未明，故韩之意，每以人主代表国家。所谓人主之利，即国家之利也。当时人臣之奸莫大于擅权夺国，及借外患以胁主，故韩非数言之。

二、听言　凡人主欲察奸以立治者，不可不审听言之道。韩非论之曰："凡听之道，以其所出，反以为之入。故审名以定位，明分以辩类。听言之道，溶若甚醉。唇乎齿乎，吾不为始乎；齿乎唇乎，愈惛惛乎。彼自离之，吾因以知之。是非辐凑，上不与构。虚静无为，道之情也；参伍比物，事之形也。参之以比物，伍之以合虚。根干不革，则动泄不失矣。"（《扬权》）盖人主虚心以听言，使其自尽，而后参伍以得其情也。又以"听法"为八经之一，曰："听不参，则无以责下；言不督乎用，则邪说当上。言之为物也以多信，不然之物，十人云疑，百人然乎，千人不可解也。呐者言之疑，辩者言之信。奸之食上也，取资乎众，藉信乎辩，而以类饰其私。人主不餍忿而待合参，其势资下也。有道之主听言，督其用，课其功，功课而赏罚生焉，故无用之辩不留朝。任事者知不足治职，则放官收。说大而夸则穷端，故奸得而怒。无故而不当为诬，诬而罪臣。言必有报，说必责用也，故朋党之言不上闻。凡听之道，人臣忠论以闻奸，博论以内一，人主不智则奸得资。明主之道，已喜则求其所纳，已怒则察其所构。论于已变之后，以得毁誉公私之征。众谏以效智，使君自取一以避罪。故众之谏也败。君之取也，无副言于上，以设将然；令符言于后，以知谩诚。明主之道，臣不得两谏，必任其一语；不得擅行，必合其参，故奸无道进矣。"（《八经》）

然韩非之教人主听言也，当以功用为主，无用之辩，则不必听也。故曰："夫言行者，以功用为之的彀者也。夫砥砺杀矢而以妄发，其端未尝不中秋毫也，然而不可谓善射者，无常仪的也。设五寸之的，引十步之远，非羿、逢蒙不能必中者，有常也。故有常，则羿、逢蒙以五寸的为巧；无常，则以妄发之中秋毫为拙。今听言观行，不以功用为之的彀，言虽至察，行虽至坚，则妄发之说也。是以乱世之听言也，以难知为察，以博文为辩；其观行也，以离群为贤，以犯上为抗。"(《问辩》)故于《外储说》尝列喻无实之辩之无用曰：

> 客有教燕王为不死之道者，王使人学之，所使学者未及学而客死。王大怒诛之。王不知客之欺己，而诛学者之晚也。夫信不然之物，而诛无罪之臣，不察之患也。且人所急无如其身，不能自使其无死，安能使王长生哉？
>
> 郑氏有相与争年者。一人曰："吾与尧同年。"其一人曰："我与黄帝之兄同年。"讼此而不决，以后息者为胜耳。
>
> 客有为齐王画者。齐王问曰："画，孰最难者？"曰："犬马难。""孰易者？"曰："鬼魅最易。"夫犬马，人所知也，旦暮罄于前而不可以类之，故难。鬼魅，无形者，不罄于前，故易之也。
>
> 齐有居士田仲者，宋人屈穀见之，曰："穀闻先生之义，不恃仰人而食。今穀有树瓠之道，坚如石，厚而无窍。献之。"仲曰："夫瓠所贵者，谓其可以盛也。今厚而无窍，则不可剖以盛物；而任重如坚石，则不可剖而以斟。"曰："然。穀将以欲弃之。"

今田仲不恃仰人而食,亦坚瓠之类也。

虞庆将为屋,匠人曰:"材生而涂濡。夫材生则挠,涂濡则重,以挠任重,今虽成,久必坏。"虞庆曰:"材轻则直,涂干则轻。今诚得干,日以轻直,虽久,必不坏。"匠人诎,作之,成,有间,屋果坏。范且曰:"弓之折,必于其尽也,不于其始也。夫工人张弓也,伏檠三旬而蹈弦,一日犯机,是节之其始而暴之其尽也,焉得无折?且张弓不然,伏檠一日而蹈弦,三旬而犯机,是暴之其始而节之其尽也。"工人穷也,为之,弓折。范且、虞庆之言,皆文辩辞胜而反事之情。人主说而不禁,此所以败也。夫不谋治强之功,而艳乎辩说文丽之声,是却有术之士而任坏屋折弓也。故人主之于国事也,皆不达乎工匠之构屋张弓也。然而士穷乎。

夫韩非所谓有常仪,有实用者,法术之言是也。盖将使"境内之民,其言谈者必执于法"。(《五蠹》)尤在人君审听法术之士之言,而无惑于左右之说耳。故终论之曰:"凡法术之难行也,不独万乘,千乘亦然。人主之左右不必智也,人主于人有所智而听之,因与左右论其言,是与愚人论智也。人主之左右不必贤也,人主于人有所贤而礼之,因与左右论其行,是与不肖论贤也。智者决策于愚人，贤士程行于不肖，则贤智之士羞而人主之论悖矣。人臣之欲得宦者，其修士且以精洁固身，其智士且以治辩进业。其修士不能货赂事人，恃其精洁，而更不能以枉法为治，则修治之士不事左右、不听请谒矣。人主之左右，行非伯夷也，求索不得，货赂不至，则精辩之功息，而毁诬之言起矣。"(《孤愤》)又因和氏献璞之事以喻之曰："楚人和氏，得玉璞楚山中，奉而献之厉王。厉王使玉人相之，玉人曰：'石也。'王以和为诳，而刖其左足。及厉王薨，武王即位，和又奉其璞而献之武王。武王使玉人相之，又曰：'石也。'王又以和为诳，而刖其右足。武王薨，文王即位。和乃抱其璞而哭于楚山之下，三日三夜，泪尽而继之以血。王闻之，使人问其故，曰：'天下之刖者多矣，子奚哭之悲也？'和曰：'吾非悲刖也，悲夫宝玉而题之以石，贞士而名之以诳，此吾所以悲也。'王乃使玉人理其璞而得宝焉，遂命曰'和氏之璧'。夫珠玉，人主之所急也。和虽献璞而未美，未为王之害也，然犹两足斩而宝乃论，论宝若此其难也。今人主之于法术也，未必和璧之急也，而禁群臣士民之私邪。然则有道者之不僇也，特帝王之璞未献耳。"(《和氏》)帝王之璞，即法术之言也。韩非盖有深慨焉。

三、**用人** 人君之责任，莫大于用人。用人之大端：一曰用法术之士之道，一曰用群臣之道。君能用法术之士，而后国强而身安。至于群臣，则但使之守法而已。韩非尝论古来亡国之事及劫弑之祸，皆由人君不知择臣。故曰："为人主者，诚明于臣之所言，则虽毕弋驰骋，撞钟舞女，国犹且存也。不明臣之所言，虽节俭勤劳，布衣恶食，国犹自亡也。赵之先君敬侯，不修德行，而好纵欲，适身体之所安、耳目之所乐，冬日毕弋，夏浮淫为长夜，数日不废御觞，不能饮者，以筒灌其口，进退不肃、应对不恭者斩于前。故起居饮食，如此其不节也；制刑杀戮，如此其不度也，然敬侯享国数十年，兵不顿于敌国，地不亏于四邻，内无君臣百官之乱，外无诸侯邻国之患，明于所以任臣也。燕君子哙，召公奭之后也，地方数千里，持戟数十万，不安子女之乐，不听钟石之声，内不堙污池台榭，外不毕弋田猎，又亲操耒耨，以修畎亩。子哙之苦身以忧民如此其甚也，虽古之所谓圣王明君者，其勤身而忧世也不甚于此矣。然而子哙身死国亡，夺于子之，而天下笑之。此其故何也？不明乎所以任臣也。"（《说疑》）故任臣者，为国家安危之大本，而人君之勤俭纵侈不与焉。然所以取臣之道，其举之也，"或在山林薮泽岩穴之间，或在囹圄缧绁缠索之中，或在割烹刍牧饭牛之事。然而明主不羞其卑贱也，以其能可以明法，便国利民，从而举之，身安名尊"（同上）。夫能明法便国利民者，固即法术之士矣，故破格而用之，不计众人之毁誉也。又曰："谄谀之臣，唯圣王知之，而乱主近之，故至身死国亡。圣王明君则不然，内举不避亲，外举不避仇。是在焉，从而举之；非在焉，从而罚之。是以贤良遂进，而奸邪并退，故一举而能服诸侯。"（同上）此韩非所谓用人之大经也。

至于用群臣之道，不在其外貌之辞辩，而惟在论其功伐。故曰："澹台子羽，君子之容也，仲尼几而取之，与处久而行不称其貌。宰予之辞，雅而文也，仲尼几而取之，与处久而智不充其辩。故孔子曰：'以容取人乎，失之子羽；以信取人乎，失之宰予。'故以仲尼之智，而有失实之声。今之新辩，滥乎宰予；而世主之听，眩于仲尼。为悦其言，因任其身，焉得无失乎？"（《显学》）故曰："听辞言，仲尼不能以必士；试之官职，课其功伐，则庸人不疑于愚智。"（同上）于是韩非以为任臣莫善于明法。其言曰："人主不能明法而以制大臣之威，无道得小臣之信矣。人主释法而以臣备臣，则相爱者比周而相誉，相憎者朋党而相非。非誉交争，而主惑乱矣。人臣者，非名誉请谒，无以进取；非背法专制，无以为威；非假于忠信，无以不禁。三者，惛主坏法之资也。人主使人臣虽有智能，不得背法而专制；虽有贤行，不得逾功而先劳；虽有忠信，不得释法而不禁。此之谓明法。"（《南面》）人主既以明法为用人之道，则其取臣也，惟其能守法则用之，而不论其贤。故曰："上法而不上贤。废常上贤则乱，舍法任智则危。"（《忠孝》）《二柄》篇亦以任贤为人主之患，谓"主好贤，则群臣将饰行以要君也"。

韩非又谓人主治吏不治民，盖持法以驭吏，吏治则民无不治矣。于是譬之曰："摇木者一一摄其叶，则劳而不遍；左右拊其本，而叶遍摇矣。临渊而摇木，鸟惊而高，鱼恐而下。善张网者引其纲，或一一摄万目而后得，则是劳而难；引其纲，而鱼已囊矣。故吏者，民之本、纲者也，故圣人治吏不治民。"（《外储说右下》）

（丁）人君与法

韩非每以法术并称，然析言之，则法自法，术自术也。今先论人君与法之关系。

韩非曰："人主者，守法责成以立功者也。"（同上）又曰："明主之道忠法，其法忠心，故临之而法，去之而思。"（《安危》）盖法为人君所以治之具。又喻之于指南车，曰："人臣之侵其主也，如地形焉，即渐以往，使人主失端，东西易面而不自知。故先王立司南以端朝夕。故明主使其群臣不游意于法之外，不为惠于法之内，动无非法。法所以凌遏游外私也，严刑所以遂令惩下也。威不贷错，制不共门。威制共则众邪彰矣，法不信则君行危矣，刑不断则邪不胜矣。故曰：巧匠目意中绳，然必先以规矩为度；上智捷举中事，必以先王之法为比。故绳直而枉木斲，准夷而高科削，权衡悬而重益轻，斗石设而多益少。故以法治国，举措而已矣。"(《有度》)又曰："明主使法择人，不自举也；使法量功，不自度也。能者不可弊，败者不可饰，誉者不能进，非者弗能退，则君臣之间明辩而易治，故主雠法则可也。"(雠谓校定可否)(同上)又曰："释的而妄发，虽中而不巧；释法制而妄怒，虽杀戮而奸人不恐。"(《用人》)又曰："古者先王尽力于亲民，加事于明法。彼法明则忠臣劝，罚必则邪臣止。越王勾践恃大朋之龟，与吴战而不胜，身臣入宦于吴。反国弃龟，明法亲民以报吴，则夫差为擒。故恃鬼神者慢于法，恃诸侯者危其国。"(《饰邪》)又曰："先王以道为常，以法为本。本治者名尊，本乱者名绝。凡智能明通，有以则行，无以则止。故智能单道，不可传于人；而道法万全，智能多失。夫悬衡而知平，设规而知圆，万全之道也。明主使民饰于道之故，故佚而有功。释规而任巧，释法而任智，惑乱之道也。"(同上)又曰："故《本言》曰：'所以治者，法也；所以乱者，私也。法立，则莫得为私矣。'故曰：道私者乱，道法者治。上无其道，则智者有私辞，贤者有私意。上有私惠，下有私欲，圣智成群，造言作辞，以非法令于上。上不禁塞，又从而尊之，是教下不听上，不从法也。是以贤者显名而居，奸人赖赏而富。

贤者显名而居，奸人赖赏而富，是以上不胜下也。"(《诡使》)又曰："有道之主，远仁义，去智能，服之以法。是以誉广而名威，民治而国安。"(《说疑》)韩非之意，尊法故不尚贤。其非当世法令，因以成贤名者，皆韩非所不许也。

虽然，君主之于法，不过用之以整齐臣下而已。至于庶事之法，所由厉行者，则责在于官。而主之所执，实在于术。故又曰："术也者，主之所以执也；法也者，官之所以师也。"(同上)《外储说左上》曰："魏昭王欲与官事，谓孟尝君曰：'寡人欲与官事。'君曰：'王欲与官事，则何不试习读法？'昭王读法十余简而睡卧矣。王曰：'寡人不能读此法。'夫不躬亲其势柄，而欲为人臣所宜为者也，睡不亦宜乎？"盖法者，君虽与法术之士制之，仍课其责于官吏而已。

(戊) 人君与术

商鞅专言法，申不害专言术，韩非兼言二者，而以术为人主之所执。又曰："国者，君之车也；势者，君之马也。无术以御之，身虽劳犹不免乱；有术以御之，身处佚乐之地，又致帝王之功也。"(《外储说右下》)又曰："主用术，则大臣不得擅断，近习不敢卖重。"(《和氏》)然则术又君之所以御臣者矣。"阳虎议曰：'主贤明，则悉心以事之；不肖，则饰奸而试之。'逐于鲁，疑于齐，走而之赵。赵简主迎而相之。左右曰：'虎善窃人国政。何故相也？'简主曰：'阳虎务取之，我务守之。'遂执术而御之。阳虎不敢为非，以善事简主。"（《外储说左下》）此其证也。

《内储说》以主之所用也有七术，所察也有六微。七术：一曰众端参观，二曰必罚明威，三曰信赏尽能，四曰一听责下，五曰疑诏诡使，六曰挟知而问，七曰倒言反事。此七者，主之所用也。六微：一曰权借在下，二曰利异外借，三曰托于似类，四曰利害有反，五曰参疑内争，六曰敌国废置。此六者，主之所察也。今略掇其本意如下：

一、七术

（一）**参观** "观听不参，则诚不闻；听有门户，则臣壅塞。"盖偏听一人，则诚者莫告；各听其所从，若门户然，又为臣所塞。故人主当力去此蔽也。

（二）**必罚** "爱多者，则法不立；威寡者，则下侵上。是以刑罚不必，则禁令不行。"

（三）**赏誉** "赏誉薄而谩者下不用，赏誉厚而信者下轻死。"故明主慎其赏誉，可以厉民而用之也。

（四）**一听** "一听则愚智不分，责下则人臣不参。"盖直听一理,无以别善恶,故必兼取下之材能一一责之。如韩昭侯曰:"吹竽者众,吾无以知其善者。田严对曰:"一一而听之。"

(五)诡使 "数见久待而不任奸,则鹿散。使人问他,则不鬻私。"盖人数见于君,或复久待,虽不任用,外人则谓此得主之意,终不敢为奸,如鹿之散,至虽已知所为,犹阳若不知,更试以他事,或问之他人,则亦不敢鬻其私矣。

(六)挟智 "挟智而问,则不智者至;深智一物,众隐皆变。"挟己所智而有所问,则虽不智者莫不皆智也;于伏一物智之能深,则众隐伏之物,莫不变而露见也。

(七)倒言 "倒言反事,以尝所疑,则奸情得。"倒错其言,反为其事,以试其所疑也。如卫嗣公使人为客过关市。因事关市,以金与关市,乃舍之。嗣公为关吏曰:"某时有客过而所,与汝金,而汝因遣之。"关市乃大恐,而以嗣公为明察。

二、六微

(一)权借 "权势不可以借人。上失其一,臣以为百。故臣得借,则力多;力多,则内外为用;内外为用,则人主壅。"

（二）**利异** 君臣之利异，故人臣莫忠，故臣利立而主利灭。

（三）**似类** 似类之事，人主之所以失诛，而大臣之所以成私也。

（四）**有反** 事起而有所利，其尸主之；有所害，必反察之。是以明主之论也，国害则省其利者，臣害则察其反者。

（五）**参疑** 参疑之势，乱之所由生也，故明主慎之。如晋骊姬杀太子申生，卫州吁杀其君完。骊姬贵拟后，州吁拟君，故以成祸，皆参疑之类也。

（六）**废置** 敌之所务，在淫察而就靡，人主不察，则敌废置矣。如仲尼为政于鲁，而齐人馈女乐以间之，仲尼终去而之楚。是敌人得行废置之计也。

韩非又言治天下有八经。然所谓八经者，亡其一目。顾广圻《识误》谓此篇文句多不可通。姑著其目：一曰因情，因人情故赏罚可用也。二曰主道，言君神则下尽。三曰起乱，言臣主异利。四曰立道，谓参伍以审奸，言通事泄，则术不行。五曰参言，明主务在周密，故奸无所失。六曰听法，听言之法也。七曰类柄，明主之道，能任事则取之，能守官则赞之，善执赏罚之柄，不使民疑。其八目亡，大意在明敕官法也。

又尝综论圣人之所以为治道三：一曰利，二曰威，三曰名。"利者所以得民也，威者所以行令也，名者上下之所同道也。"（《诡使》）然利非无有也，而民不化上；威非不存也，而下不听从；官非无法也，而治不当名，则上失其道也。于是又谓人主有三守。"三守完，则国安身荣；三守不完，则国危身殆。"（《三守》）疑重三守者，守臣下献替之言，不使漏于近习，一守也。守其威重，不使左右得行其毁誉，二守也。守其生杀予夺之机，勿使大臣得侵焉，三守也。三守不完，乃有劫杀。一曰明劫，群臣持禄养交，行私道而不效公忠，是明劫也。鬻宠擅权，朋比交语其美，虽主言恶不信矣，是事劫也。至于守司囹圄，禁制刑罚，人臣擅之，是刑劫也。三守完而三劫止，则王矣。

以上韩非所言法术关于人君之要，略已具矣。韩非又常因难管子"言室满室，言堂满堂"之说，而综论法术曰："人主之大物，非法则术也。法者，编著之图籍，设之于官府，而布之于百姓者也。术者，藏之于胸中，以偶众端而潜御群臣者也。故法莫如显，而术不欲见。是以明主言法，则境内卑贱莫不闻知也，不独满于堂；用术，则亲爱近习莫之得闻也，不得满室。而管子犹曰：'言于室满室，言于堂满堂。'非法术之言也。"（《难三》）

四、法术与人臣

（甲）臣道

韩非尝泛论臣道曰："轻爵禄，易去亡，以择其主，臣不谓廉。诈说逆法，倍主强谏，臣不谓忠。行惠施利，收下为名，臣不谓仁。离俗隐居，而以作非上，臣不谓义。外使诸侯，内耗其国，伺其危险之陂，以恐其主曰：'交非我不亲，怨非我不解。'而主乃信之，以国听之，卑主之名以显其身，毁国之厚以利其家，臣不谓智。此数物者，险世之说也，而先王之法所简也。先王之法曰：'臣毋或作威，毋或作利，从王之指；毋或作恶，从王之路。'古者世治之民，奉公法，废私术，专意一行，具以待任。"（《有度》）然则廉忠仁义智者，为臣之常德，而末又归之于奉公法以待任，反是即违乎臣道矣。

虽然，君执术而臣守法。故曰："法者，官之所以师也。"人臣之道，动无非法，不游意于法之外，不为惠于法之内。子路为郈令，以私秩为浆饭饭民，孔子非之（《外储说右上》），人臣不得行私惠之义也。故法虽守于官，而官轻于法。韩非论之曰："官之重也，毋法也；法之息也，上暗也。上暗无度，则官擅为；官擅为，故奉重无前；奉重无前，则征多；征多，故富。官之富重也，乱功之所生也。明主之道，取于任，贤于官，赏于功。言程主喜俱必利,不当主怒俱必害,则人不私父兄而进其仇雠。势足以行法,奉足以给事,而私无所生,故民劳苦而轻官。任事者毋重,使其宠必在爵;处官者毋私,使其利必在禄,故民尊爵而重禄。爵禄,所以赏也,民重所以赏也,则国治。刑之烦也,名之缪也,赏誉不当则民疑。"(《八经》)此言法术与人臣奉官之关系,即法术与国家之关系矣。

人臣为公则国治,为其私则国乱。韩非曰:"夫令必行,禁必止,人主之公义也;必行其私,信于朋友,不可为赏劝,不可为罚沮,人臣之私义也。私义行则乱,公义行则治,故公私有分。人臣有私心,有公义。终身洁白而行公行正,居官无私,人臣之公义也;污行从欲,安身利家,人臣之私心也。明主在上,则人臣去私心,行公义;乱主在上,则人臣去公义,行私心。故君臣异心:君以计畜臣,臣以计事君。君臣之交,计也。害身而利国,臣弗为也;害国而利臣,君不行也。臣之情,害身无利;君之情,害国无亲。君臣也者,以计合者也。至夫临难必死,尽智竭力,为法为之也。"(《饰邪》)盖韩非以法为最高,故以君臣仅以计合,而臣之能效忠于国者,实为法之所制,不得不然,非必其意之所欲也,故当明赏罚之经,使臣怀恩而畏罪,自循循于法度之中矣。人臣对于人主,凡国之大事,则有言责。韩非曰:"主道者,使人臣必有言之责,又有不言之责。言无端末、辩无所验者，此言之责也；以不言避责、持重位者，此不言之责也。人主使人臣言者必知其端以责其实，不言者必问其取舍以为之责，则人臣莫敢妄言矣，又不敢默然矣，言、默皆有责也。"（《南面》）盖人臣既委身于职守，则无论语默，其所负法律上之责任皆同。故人主导之使尽其言责，又使负不言之责也。国有良臣则奉法，国有奸臣则坏法。奸臣之事，前已于《八奸》论之矣。然奸臣将欲坏法，必先罔主而取势。韩非论之曰："凡奸臣皆欲顺人主之心，以取亲幸之势者也。是以主有所善，臣从而誉之；主有所憎，臣因而毁之。凡人之大体，取舍同者则相是也，取舍异者则相非也。今人臣之所誉者，人主之所是也，此之谓同取；人臣之所毁者，人主之所非也，此之谓同舍。夫取舍合而相与逆者，未尝闻也。此人臣之所以信幸之道也。夫奸臣得乘信幸之势，以毁誉进退群臣者，人主非有术数以御之也，非参验以审之也，必将以曩之合己，信今之言，此幸臣之所以得欺主成私者也。故主必欺于上，而臣必重于下矣，此之谓擅主之臣。国有擅主之臣，则群下不得尽其智力以陈其忠，百官之吏不得奉法以致其功矣。"（《奸劫弑臣》）韩非屡论奸臣之害，而归重于百官不得奉法以致其功，盖皆基于实行法律主义之所贯彻也。

（乙）朋党

韩非于法律至上主义，主张甚力，颇多与今世法律学者之言有合，惟不知委立法之事于议会，而必以求之法术之士；不知运用政治之术，赖乎政党，皆古代制度异宜，故思想有所未备也。然以立法当因人情、顺时势，及云："力不敌众，智不尽物。与其用一人，不如用一国。"（《八经》）此已有询谋佥同之意。且尤重视党，以人臣能借党之势力，夺人之国，以革姓擅制，故颇陈散党之说。夫既知党之足患，而汲汲谋所以待之，则见党之为用大矣。虽所言仅系私党，非政党之例，然论党之弊害甚深切有可考者，辄比而录之。

韩非以为人主之大敌，莫过于人臣有党。故曰："臣得树人，则主失党。"（《主道》）又曰："度量之立，主之宝也。党与之具，臣之宝也。臣之所以不弑其君者，党与不具也。"（《扬权》）此见党之可惧矣。又申论其弊曰："今若以誉进能，则臣离上而下比周；若以党举官，则民务交而不求用于法。故官之失能者其国乱。以誉为赏，以毁为罚也，则好赏恶罚之人，释公行，行私术，比周以相为也。忘主外交，以进其与，则其下所以为上者薄矣。交众与多，外内朋党，虽有大过，其蔽多矣。故忠臣危死于非罪，奸邪之臣安利于无功。忠臣危死而不以其罪，则良臣伏矣；奸邪之臣安利不以功，则奸臣进矣。此亡之本也。若是，则群臣废法而行私重，轻公法矣。"(《有度》) 盖党成则人务交而轻法，不惟为人主之敌，且与法律主义大相刺谬也。然朋党之所起，往往以一国之重人为之魁。故曰："凡当涂者之于人主也，希不信爱也，又且习故。若夫即主心、同乎好恶，固其所自进也。官爵贵重，朋党又众，而一国为之讼。"(《孤愤》) 又曰："朋党比周以弊主、言曲以便私者，必信于重人矣。故其可以功伐借者，以官爵贵之；其不可借以美名者，以外权重之。是以弊主上而趋于私门者，不显于官爵，必重于外权矣。"(同上) 又曰："明主之为官职爵禄也，所以进贤材，劝有功也。今则不然，不课贤不肖，论有功劳，用诸侯之重，听左右之谒，父兄大臣上请爵禄于上，而下卖之以收财利及以树私党。故财利多者买官以为贵，有左右之交者请谒以成重。功劳之臣不论，官职之迁失谬。是以吏偷官而外交，弃事而亲财。是以贤者懈怠而不劝，有功者隳而简其业，此亡国之风也。"(《八奸》) 当时树党之人，犹有藉邻国诸侯以为重者，故韩非及之。夫党人至于以财利卖官爵，而其弊极矣，是以韩非论之如此。然党之弊犹不尽于此也，盖其势之盛，即可以弑君夺国。故曰："主孤于上，而臣成党于下，此田成之所以弑简公者也。"(《奸劫弑臣》) 且又详言之曰："为人臣者，破家残瘁，内构党与、外接巷族以为誉，从阴约结以相固也，虚相与爵禄以相劝也。曰：'与我者将利之，不与我者将害之。'众贪其利，劫其威。彼诚喜则能利己，忌怒则能害己。众归而民留之，以誉盈于国，发闻于主。主不能理其情，因以为贤。彼又使谲诈之士，外假为诸侯之宠使，假之以舆马，信之以瑞节，镇之以辞令，资之以币帛，使诸侯，淫说其主，微挟私而公议。所为使者，异国之主也；所为谈者，左右之人也。主说其言而辩其辞，以此人者天下之贤士也。内外之于左右，其讽一而语同。大者不难卑身尊位以下之，小者高爵重禄以利之。夫奸人之爵禄重而党与弥众，又有奸邪之意，则奸臣愈反而说之，曰：'古之所谓圣君明王者，非长幼弱也，及以次序也。以其构党与，聚巷族，逼上弑君而求其利也。'彼曰：'何以知其然也？'因曰：'舜逼尧，禹逼舜，汤放桀，武王伐纣，此四王者，人臣弑其君者也，而天下誉之。察四王之情，贪得人之意也；度其行，暴乱之兵也。然四王自广措也，而天下称大焉；自显名也，而天下称明焉。则威足以临天下，利足以盖世，天下从之。'又曰：'以今时之所闻，田成子取齐，司城子罕取宋，太宰欣取郑，单氏取周，易牙之取卫，韩、魏、赵三子分晋，此六人，臣之弑其君者也。'奸臣闻此，蹙然举耳，以为是也。故内构党与，外摅巷族，观时发事，一举而取国家。且夫内以党与劫弑其君，外以诸侯之权矫易其国。隐正道，持私曲，上禁君，下挠治者，不可胜数也。"(《说疑》)当时构党与以广交，大率纵横之士。故假诸侯之币，以交于邻国，树其私党。及其党之成，则为上下众誉所归，故得取大势柄。或又说其奸臣以弑君取国之事，至引舜、汤、武之事为比焉，故韩非深疾之。

于是韩非乃断然以党为无益于国，且致国弱亡。其言曰："大臣专制，树羁旅以为党，数割地以待交者，可亡。"(《亡征》)盖当时树党之事，有利用于外交者，故韩非并论之。又曰："群臣朋党比周，以隐正道，行私曲而地削主卑者，山东是也。"(《饰邪》)此又引历史之事为证者矣。

韩非之尤恶党者，以其与法律之精神不相容也。至是乃为对待私党之方法有二。（一）散其党。其言曰："散其党，收其余，闭其门，夺其辅，国乃无虎。"(《主道》)又曰："毋富人而贷焉，毋贵人而逼焉，毋专信一人而失其都国焉。腓大于股，难以趣走。主失其神，虎随其后。主上不知，虎将为狗。主不蚤止，狗益无已。虎成其群，以弑其母。为主而无臣，奚国之有？主施其法，大虎将怯；主施其刑，大虎自宁。法刑苟信，虎化为人，复反其真。欲为其国，必伐其聚；不伐其聚，彼将聚众。欲为其地，必适其赐；不适其赐，乱人求益。彼求我予，假仇人斧；假之不可，彼将用之以伐我。黄帝有言曰：

'上下一日百战。'下匿其私，用试其上；上操度量，以割其下。"(《扬权》)其间虎即指党，大虎则党魁也。既散其聚，则虎复反为人。而散之之法，不外度量，即是法耳。故散党之术，惟恃法律。又曰："作斗以散朋党。"(《八经》)盖使其党中互相争斗，或别树一党与之互斗，因以法律解散之。乃又言散党之利曰："无比周，则公私分；公私分，则朋党散；朋党散，则无外障距内比周之患。知下明，则见精沐；见精沐，则诛赏明；诛赏明，则国不贫。"(《难三》)（二）不使党人得兵柄。其言曰："大臣党与虽众，不得臣士卒。故人臣处国无私朝，居军无私交。不载奇兵，非传非遽，载奇兵革，罪死不赦。此明君之所以备不虞者也。"(《爱臣》)

第三章　赏罚论

赏罚之原理及效能

　　法家为治，以因应人情为主，故尊上法律。然法律之用，莫大于赏罚。故曰："凡治天下，必因人情。人情者有好恶，故赏罚可用。赏罚可用，则禁令可立而治道具矣。君执柄以处势，故令行禁止。柄者，杀生之制也。势者，胜众之资也。"（《八经》）此言赏罚因于人情而立，所以效法律之效。而人君自操其柄者也，于是以刑、德为二柄。其言曰："明主之所导制其臣者，二柄而已矣。二柄者，刑、德也。何谓刑、德？曰：杀戮之谓刑，庆赏之谓德。为人臣者，畏诛罚而利庆赏，故人主自用其刑、德，则群臣畏其威而归其利矣。"（《二柄》）又曰："赏罚者，邦之利器也。在君，则制臣；在臣，则胜君。君见赏，臣则损之以为德；君见罚，臣则益之以为威。人君见赏，而人臣用其势；人君见罚，而人臣乘其威。故曰：邦之利器，不可以示人。"（《喻老》）此皆言赏罚大权，当制于君，不可使其柄为臣下所持也。又申喻之曰："今夫水之胜火亦明矣，然而釜鬵间之，水煎沸竭尽其上，而火得炽盛焚其下，水失其所以胜者矣。今夫治之禁奸又明于此，然守法之臣为釜鬵之行，则法独明于胸中，而已失其所以禁奸者矣。上古之传言，《春秋》所记，犯法为逆以成大奸者，未尝不从尊贵之臣。然而法令之所以备，刑罚之所以诛，常于卑贱。是以其民绝望，无所告愬；大臣比周，蔽上为一，阴相善而阳相恶，以示无私，相为耳目，以候主隙；人主掩蔽，无道得闻，有主名而无实，臣专法而行之，周天子是也。偏借其权势，则上下易位矣，此言人臣之不可借权势也。"（《备内》）诛罚之柄操于臣，其弊如此，引周天子为喻。又曰："今人主非使赏罚之威利出于己也，听其臣而行其赏罚，则一国之人皆畏其臣而易其君，归其臣而去其君矣。此人主失刑德之患也。夫虎之所以能服狗者，爪牙也。使虎释其爪牙而使狗用之，则虎反服于狗矣。人主者，以刑德制臣者也。今君人者释其刑德而使臣用之，则君反制于臣矣。故田常上请爵禄而行之群臣，下大斗斛而施于百姓，此简公失德而田常用之也，故简公见弑。子罕谓宋君曰：'夫庆赏赐予者，民之所喜也，君自行之；杀戮刑罚者，民之所恶也，臣请当之。'于是宋君失刑而子罕用之，故宋君见劫。田常徒用德而简公杀，子罕徒用刑而宋君劫。故今世为人臣者兼刑德而用之，则是世主之危甚于简公、宋君也。故劫杀拥蔽之主，非失刑德而使臣用之，而不危亡者，则未尝有也。"（《二柄》）此言赏与罚二者之柄，皆当并操于上，若失其一于臣，则危亡矣。

夫赏罚之柄，既当操于君，然用之道奈何？曰：必信。故曰："以罪受诛，人不怨上。以功受赏，臣不德君。"（《外储说左下》）又曰："明君见小奸于微，故民无大谋；行小诛于细，故民无大乱。此谓'图难者于其所易也，为大者于其所细也'。今有功者必赏，赏者不德君，力之所致也；有罪者必诛，诛者不怨上，罪之所生也。民知诛赏之皆起于身也，故习功利于业，而不受赐于君。"（《难三》）盖君虽操赏罚之柄，然不以赏市恩，不以罚作威，一切断于法律，为之执行而已。此又韩非尊上法律之意也。

管子以为赏罚既信于可见之地，则虽不可见者，亦得因以劝禁。韩非则以赏罚惟当责之于昭然共睹之际，而不当论其他。其言曰："管子曰：'见其可，说之有证；见其不可，恶之有形。赏罚信于所见，虽所不见，其敢为之乎？见其可，说之无证；见其不可，恶之无形。赏罚不信于所见，而求所不见之外，不可得也。'或曰：广廷严居，众人之所肃也。晏室独处，曾、史之所慢也。观人之所肃，非行情也。且君上者，臣下之所为饰也。好恶在所见，臣下之饰奸物以愚其君，必也。明不能烛远奸、

见隐微，而待之以观饰行，定赏罚，不亦弊乎？"（同上）

又论用赏罚之道曰："废置无度则权渎，赏罚下共则威分。是以明主不怀爱而听，不留说而计。故听言不参，则权分乎奸；智力不用，则君穷乎臣。故明主之行制也天，其用人也鬼。天则不非，鬼则不困。势行教严，逆而不违，毁誉一行而不议。故赏贤罚暴，举善之至者也；赏暴罚贤，举恶之至者也。是谓赏同罚异。赏莫如厚，使民利之；誉莫如美，使民荣之；诛莫如重，使民畏之；毁莫如恶，使民耻之。"（《八经》）于是乃以富强由于赏罚不阿。曰："赏罚不阿则民用，官治民用则国富，国富则兵强，而霸王之业成矣。霸王者，人主之大利也。人主挟大利以听治，故其任官者当能，其赏罚无私。使士民明焉，尽力致死，则功伐可立，而爵禄可致，爵禄致而富贵之业成矣。富贵者，人臣之大利也。人臣挟大利以从事，故其行危至死，其力尽而不望。此谓君不仁，臣不忠，则可以霸王矣。"（《六反》）（此节文多讹误，依顾千里校正）

赏罚得失之关系

赏罚以驭下，其得当与否，关系至大。"刑赏明则民尽死，民尽死则兵强主尊。刑赏不察，则民无功而求得，有罪而幸免，则兵弱主卑。"（《饰邪》）兹当分别论之。

（甲）赏罚得当之关系

韩非曰："至治之国，有赏罚而无喜怒，故圣人极；有刑法而无螫毒，故奸人服。发矢中的，赏罚当符，故尧复生，羿复立。如此，则上无殷、夏之患，下无比干之祸，君高枕而臣乐业，道蔽天地，德极万世矣。"（《用人》）又曰："士无幸赏，无逾行；杀必当，罪不赦，则奸邪无所容其私。"（《备内》）又引历史之事以证之曰："越王问于大夫文种曰：'吾欲伐吴，可乎？'对曰：'可矣。吾赏厚而信，罚严而必。君欲知之，何不试焚宫室？'于是遂焚宫室，人莫救之。乃下令曰：'人之救火死者，比死敌之赏；救火而不死者，比胜敌之赏；不救火者，比降北之罪。'人涂其体、被濡衣而走火者，左三千人，右三千人。此知必胜之势也。"（《内储说上》）盖赏罚之能厉民如此。故韩非以虽小赏必慎，虽小罚必谨。"韩昭侯使人藏弊袴。侍者曰：'君亦不仁矣，弊袴不以赐左右而藏之。'昭侯曰：'非子之所知也。吾闻明主之爱一颦一笑，颦有为颦，而笑有为笑。今夫袴，岂特颦笑哉！袴之与颦笑远矣，吾必待有功者，故收藏之，未有予也。'"（同上）此小赏必慎之类也。凡明主之于人臣，"功当其事，事当其言，则赏；功不当其事，事不当其言，则罚。故群臣其言大而功小者则罚，非罚小功也，罚功不当名也；群臣其言小而功大者亦罚，非不说于大功也，以为不当名也，害甚于有大功，故罚。昔者韩昭侯醉而寝，典冠者见君之寒也，故加衣于君之上，觉寝而说，问左右曰：'谁加衣者？'左右对曰：'典冠。'君因兼罪典衣与典冠。其罪典衣，以为失其事也；其罪典冠，以为越其职也。非不恶寒也，以为侵官之害甚于寒。"（《二柄》）此小罚必谨之类也。

（乙）赏罚不当之关系

韩非曰："赏罚无度，国虽大，兵弱者，地非其地，民非其民也。无地无民，尧、舜不能以王，三代不能以强。人主又以过予，人臣又以徒取。舍法律而言先王明君之功者，上任之以国。臣故曰：是愿古之功，以古之赏赏今之人也。主以是过予，而臣以此徒取矣。主过予则人偷幸，臣徒取则功不尊。无功者受赏，则财匮而民望；财匮而民望，则民不尽力矣。故用赏过者失民，用刑过者民不畏。有赏不足以劝，有刑不足以禁，则国虽大必危。"（《饰邪》）又设喻以明之曰："延陵卓子乘苍龙挑文之乘，钩饰在前，错锲在后，马欲进则钩饰禁之，欲退则错锲贯之，马因旁出。造父过而为之泣涕曰：'古之治人亦然矣。夫赏所以劝之而毁存焉，罚所以禁之而誉加焉。民中立而不知所由，此亦圣人之所为泣也。'一曰：延陵卓子乘苍龙与翟文之乘，前则有错饰，后则有利錣，进则引之，退则策之。马前不得进，后不得退，遂避而逸，因下抽刀而刎其脚。造父见之，泣，终日不食，因仰天而叹曰：'策，所以进之也，错饰在前；引，所以退之也，利锻在后。今人主以其清洁也进之，以其不适左右也退之，以其公正也誉之，以其不听从也废之。民惧，中立而不知所由，此圣人之所为泣也。'"（《外储说右下》）盖赏罚有失，民不知据以进退，则必致败。犹马前碍饰，后碍错，进退不可，终致旁逸也。

又记仲尼、管仲论赏罚之事，未得其义。"襄子围于晋阳中，出围，赏有功者五人，高赫为赏首。张孟谈曰：'晋阳之事，赫无大功，今为赏首，何也？'襄子曰：'晋阳之事，寡人国家危、社稷殆矣。吾群臣无有不骄侮之意者，惟赫子不失君臣之礼，是以先之。'仲尼闻之曰：'善赏哉，襄子！赏一人，而天下为人臣者莫敢失礼矣。'或曰：仲尼不知善赏矣。夫善赏罚者，百官不敢侵职，群臣不敢失礼。上设其法，而下无奸诈之心。如此，则可谓善赏罚矣。使襄子于晋阳也，令不行，禁不止，是襄子无国、晋阳无君也，尚谁与守哉？今襄子于晋阳也，知氏灌之，穴灶生蛙，而民无反心，是君臣亲也。襄子有君臣亲之泽，操令行禁止之法，而犹有骄侮之臣，是襄子失罚也。为人臣者，乘事而有功则赏。今赫仅不骄侮，而襄子赏之，是失赏也。明主赏不加于无功，罚不加于无罪。今襄子不诛骄侮之臣,而赏无功之赫,安在襄子之善赏也?故曰:仲尼不知善赏。"(《难一》)"齐桓公饮酒,醉遗其冠,耻之,三日不朝。管仲曰:'此非有国之耻也,公胡其不雪之以政?公曰:'善!'因发仓囷,赐贫穷;论囹圄,出薄罪。处三日而民歌之曰:'公胡不复遗冠乎!'或曰:管仲雪桓公之耻于小人,而生桓公之耻于君子矣。使桓公发仓囷而赐贫穷,论囹圄而出薄罪,非义也,不可以雪耻。使之而义也,桓公宿义,须遗冠而后行之,则是桓公行义,非为遗冠也。是虽雪遗冠之耻于小人,而亦遗宿义之耻于君子矣。且夫发囷仓而赐贫穷者,是赏无功也;论囹圄而出薄罪者,是不诛过也。夫赏无功,则民偷幸而望于上;不诛过,则民不惩而易为非。此乱之本也,安可以雪耻哉?"(《难三》)

必罚与严刑。韩非以刑罚不必,则禁令不行。为设譬曰:"丽水之中生金,人多窃采金。采金之禁:得而辄辜磔于市。甚众,壅离其水也,而人窃金不止。夫罪莫重辜磔于市,犹不止者,不必得也。故今有于此曰:'予汝天下而杀汝身。'庸人不为也。夫有天下大利也,犹不为者,知必死。故不必得也,则虽辜磔,窃金不止。知必死,则天下不为也。"(《内储说上》)又曰:"卫嗣君之时,有胥靡逃之魏,因为襄王之后治病。卫嗣君闻之,使人请以五十金买之,五反而魏王不予,乃以左氏(城名)易之。群臣左右谏曰：'夫以一都买胥靡，可乎？'王曰：'非子之所知也。夫治无小而乱无大。法不立而诛不必，虽有十左氏无益也；法立而诛必，虽失十左氏无害也。'魏王闻之曰：'主欲治而不听之，不祥。'因载而往，徒献之。"（同上）韩非既以必罚为主，故以赦宥为最不可许。其言曰："明君之蓄其臣也，尽之以法，质之以备。故不赦死，不宥刑。赦死宥刑，是谓威淫。"（《爱臣》）又曰："明君无偷赏，无赦罚。赏偷，则功臣堕其业；赦罚，则奸臣易为非。是故诚有功，则虽疏贱必赏；诚有过，则虽近爱必诛。近爱必诛，则疏贱者不怠，而近爱者不骄也。"（《主道》）又曰："若使小忠主法，则必将赦罪。赦罪以相爱，是与下安矣，然而妨害于治民者也。"（《饰邪》）乃于《储说》中引董阏于之言以证其义曰："董阏于为赵上地守，行石邑。山中涧深峭如墙，深百仞。因问其旁乡左右曰：'人尝有入此者乎？'对曰：'无有。''牛马犬彘，尝有入此者乎？'对曰：'无有。'董阏于喟然太息曰：'吾能治矣。使吾治之无赦，犹入涧之必死也，则人莫之敢犯也。何为不治？'"此皆以明必罚无赦之道矣。

韩非素主严刑，又尝于《储说》中，引子产之谓游吉、仲尼之论弃灰、商鞅之重轻罪，前既已述之矣。至是复推阐其理曰："明主之治国也，众其守而重其罪，使民以法禁而不以廉止。母之爱子也倍父，父令之行于子者十母;吏之于民也无爱,令之行于民也万父母。父母积爱而令穷,吏威严而民听从。严爱之策,亦可决矣。"(《六反》)又曰:"故母厚爱处,子多败,推爱也;父薄爱教笞,子多善,用严也。"(同上)又曰:"学者之言,皆曰'轻刑',此乱亡之术也。凡赏罚之心者,劝禁也。赏厚,则所欲之得也疾;罚重,则所恶之禁也急。夫欲利者必恶害,害者,利之反也。反于所欲,焉得无恶?欲治者必恶乱,乱者,治之反也。是故欲治甚者,其赏必厚矣;其恶乱甚者,其罚必重矣。今取于轻刑者,其恶乱不甚也,其欲治又不甚也。其欲治又不甚也者,此非特无术也,又乃无行。是故决贤、不肖、愚、智之分,在赏罚之轻重。且夫重刑者,非为罪人也。明主之法,揆也。治贼,非治所揆也;治所揆也者,是治死人也。刑盗,非治所刑也;治所刑也者,是治胥靡也。故曰:重一奸之罪,而止境内之邪,此所以为治也。重罚者,盗贼也;而悼惧者,良民也。欲治者奚疑于重刑!"(同上)"今不知治者,皆曰:'重刑伤民,轻刑可以止奸,何必于重哉?'此不察于治者也。夫以重止者,未必以轻止也;以轻止者,必以重止矣。是以上设重刑者而奸尽止;奸尽止,则此奚伤于民也?所谓重刑者,奸之所利者细,而上之所加焉者大也。民不以小利加大罪,故奸必止者也。所谓轻刑者,奸之所利者大,上之所加焉者小也。

民慕其利而傲其罪，故奸不止也。故先圣有谚曰：'不踬于山，而踬于垤。'山者大，故人顺之；垤微小，故人易之也。今轻刑罚，民必易之。犯而不诛，是驱国而弃之也；犯而诛之，是为民设陷也。是故轻罪者，民之垤也。是以轻罪之为民道也，非乱国也，则设民陷也。此则可谓伤民矣。"（同上）又曰："重刑少赏，上爱民，民死赏；多赏轻刑，上不爱民，民不死赏。"（《饬令》）又曰："圣人之治民，度于本，不从其欲，期于利民而已。故其与之刑，非所以恶民，爱之本也。刑胜而民静，赏繁而奸生。故治民者，刑胜，治之首也；赏繁，乱之本也。"（《心度》）又曰："行刑，重其轻者；轻者不至，重者不来；此谓以刑去刑。罪重而刑轻，刑轻则事生，此谓以刑致刑，其国必削。"（《饬令》）至于韩非所主严刑之目，今不得详，惟尝称里坐之法：同里有罪，罪必相坐也。其言曰："至治之国，善以止奸为务。是何也？其法通乎人情，关乎治理也。然则去微奸之道奈何？其务令之相规其情者也。则使相窥奈何？曰：盖里相坐而已。禁尚有连于己者，里不得相窥，惟恐不得免。有奸心者，不令得忘，窥者多也。如此，则慎己而窥彼，发奸之密。告过者免罪受赏，失奸者必诛连刑。如此，则奸类发矣。奸不容细，私告任坐使然也。"（《制分》）则韩非之法，又酷于商鞅矣。

第四章　非仁义论

　　韩非以严刑罚为治之本，而谓仁义为不足用。尝论之曰："世之学术者说人主，不曰'乘威严之势以困奸邪之臣'，而皆曰'仁义惠爱而已矣'。世主美仁义之名而不察其实，是以大者国亡身死，小者地削主卑。何以明之？夫施与贫困者，此世之所谓仁义；哀怜百姓，不忍诛罚者，此世之所谓惠爱也。夫有施与贫困，则无功者得赏；不忍诛罚，则暴乱者不止。国有无功得赏者，则民不外务当敌斩首，内不急力田疾作，皆欲行货财事富贵，为私善立名誉以取尊官厚俸。故奸私之臣愈众，而暴乱之徒愈胜，不亡何待？"（《奸劫弑臣》）盖韩非以为行仁惠则赏罚不当，而无以厉人民于耕战，故其患直中于国家，可以有乱亡之祸也。又举事以例之曰："成欢谓齐王曰：'王太仁，太不忍人。'王曰：'太仁、太不忍人，非善名耶？'对曰：'此人臣之善也，非人主之所行也。夫人臣必仁而后可与谋，不忍人而后可近也；不仁则不可与谋，忍人则不可近也。'王曰：'然则寡人安所太仁？

安不忍人？'对曰：'王太仁于薛公，而太不忍于诸田。太仁薛公，则大臣无重；太不忍诸田，则父兄犯法。大臣无重，则兵弱于外；父兄犯法，则政乱于内。兵弱于外，政乱于内，此亡国之本也。"（《内储说上》）又："魏惠王谓卜皮曰：'子闻寡人之声闻亦何如焉？'对曰：'臣闻王之慈惠也。'王欣然喜曰：'然则功且安至？'对曰：'王之功，至于亡。'王曰：'慈惠，行善也。行之而亡，何也？'卜皮对曰：'夫慈者不忍，而惠者好与也。不忍则不诛有过，好予则不待有功而赏。有过不罪，无功受赏，虽亡，不亦可乎？'"（同上）盖韩非直以仁义为亡国之术矣。

然难者或曰：古有以仁义王天下者矣。韩非于是又以仁义之治，宜于古而不宜于今。其言曰："古者文王处丰、镐之间，地方百里，行仁义而怀西戎，遂王天下。徐偃王处汉东，地方五百里，行仁义，割地而朝者三十有六国。荆文王恐其害己也，举兵伐徐，遂灭之。故文王行仁义而王天下，偃王行仁义而丧其国，是仁义用于古不用于今也。故曰：世异则事异。"（《五蠹》）又曰："夫称上古之传颂，辩而不悫，道先王仁义而不能正国者，此亦可以戏而不可以为治也。"（《外储说左上》）然韩非之所以非仁义，实为其与法治主义不相容。故曰："行义示则主威分，慈仁听则法制毁。"（《八经》）又曰："有道之主，

第四章 非仁义论

远仁义，去智能，服之以法。是以誉广而名威，民治而国安，知用民之法也。"(《说疑》)于是更本人情以论之曰："人之情性，莫先于父母，皆见爱而未必治也，虽厚爱矣，奚遽不乱？今先王之爱民，不过父母之爱子，子未必不乱也，则民奚遽治哉？且夫以法行刑，而君为之流涕，此以效仁，非以为治也。夫垂泣不欲刑者，仁也；然而不可不刑者，法也。先王胜其法，不听其泣，则仁之不可以为治亦明矣。"(《五蠹》)昔叶公问政于仲尼，仲尼以"叶都大而国小，民有背心"，故告之以"悦近而来远"。韩子非之曰："仲尼之对，亡国之言也。恐民有倍心，而说之'悦近而来远'，则是教民怀惠。惠之为政，无功者受赏，而有罪者免，此法之所以败也。法败而政乱，以乱政治败民，未见其可也。且民有倍心者，君上之明有所不及也。不绍叶公之明，而使之悦近而来远，是舍吾势之所能禁，而使与下行惠以争民，非能持势者也。"(《难三》)韩非上法，故惟在明赏罚以治国，而无取怀惠之民也。

儒者恒谓人君躬行仁义，可以一身正于天下，而民莫不从。故《诗》曰："不躬不亲，庶民不信。"仲尼曰："君犹盂也，民犹水也。盂方水方，盂圆水圆是也。"韩非独以为不然：

宋襄公与楚人战于涿谷上。宋人既成列矣，楚人未及济。右司马购强趋而谏曰："楚人众而宋人寡。请使楚人半涉未成列而击之，必败。"襄公曰："寡人闻君子曰：'不重伤，不擒二毛，不推人于险，不迫人于厄，不鼓不成列。'今楚未济而击之，害义。请使楚人毕涉成阵，而后鼓士进之。"右司马曰："君不爱宋民，腹心不完，特为义耳。"公曰："不反列，且行法。"右司马反列。楚人已成列撰阵矣，公乃鼓之。宋人大败，公伤股，三日而死。此乃慕自亲仁义之祸。夫必恃人主之自躬亲而后民听从，是则将令人主耕以为上，服战雁行也，民乃肯耕战。则人主不泰危乎？而人臣不泰安乎？（《外储说左上》）

邹君好服长缨，左右皆服。长缨甚贵。邹君患之，问左右。左右曰："君好服，百姓亦多服，是以贵。"君因先自断其缨而出，国中皆不服长缨。君不能下令为百姓服度以禁之，乃断缨出以示民，是先戮以莅民也。（同上）

盖韩非惟在立法以治民，故不恃有仁义之君，而不主躬化之说。以为法既立，则中主可以治；且仁义之君，恒旷世一遇，又恶可待也。故不必有贤君，而不可无良法。上下循法，国即富强。空言仁义，无异戏耳。躬化

第四章　非仁义论

亦有效者,要不足贵。桓公服紫、仲尼譬盂,韩非皆不然之,不如恃法为常道,民固服于势不服于仁者也。《五蠹》篇谓仲尼为仁义,境内化之者仅七十人,而鲁哀公南面而君一国。今以为行仁义可以王,是以人主必及仲尼,且世之凡民,皆如七十子之徒,必不可得之数也。

又以人家为喻曰:"今家人之治产也,相忍以饥寒,相强以劳苦,虽犯军旅之难、饥馑之患,温衣美食者,必是家也;相怜以衣食,相惠以佚乐,天饥岁荒,嫁妻卖子者,必是家也。故法之为道,前苦而长利;仁之为道,偷乐而后穷。圣人权其轻重,出其大利,故用法之相忍,而弃仁人之相怜也。"(《六反》)

韩非既以严法为主,则以世所谓慈善之意者,一切皆不宜有,虽人饿死亦不当救也。《外储说》记一事曰:秦大饥,应侯请曰:"五苑之草著、蔬菜、橡果、枣栗,足以活民,请发之。"昭襄王曰:"吾秦法,使民有功而受赏,有罪而受诛。今发五苑之蔬果者,使民有功与无功俱赏也。夫使民有功与无功俱赏者,此乱之道也。夫发五苑而乱,不如弃枣蔬而治。"一曰:"令发五苑之蓏、蔬、枣、栗,足以活民,是使民有功与无功争取也。夫生而乱,不如死而治,大夫其释之。"韩非以仁义之不可行,实本赏罚必当之主义以贯彻之。盖宁使之饿死,不能使其无功而受惠,以乱赏罚之经也。

第五章　耕战论

韩非言治,既以明法及赏罚必信为主,然法之内容,又在奖厉耕战。故曰:"主行法则浮萌趋于耕农,而游士危于战阵。"(《和氏》)然则国之所以富强,惟在显耕战之士而已。顾当世或好文学游谈之徒,韩子深非之。曰:"藏书策,习谈论,聚徒役,服文学而议说,世主必从而礼之,曰:'敬贤士,先王之道也。'夫吏之所税,耕者也;而上之所养,学士也。耕者则重税,学士则多赏,而索民之疾作而少言谈,不可得也。立节参明,执操不侵,怨言过于耳,必随之以剑,世主必从而礼之,以为自好之士。夫斩首之劳不赏,而家斗之勇尊显,而索民之疾战距敌而无私斗,不可得也。国平则养儒侠,难至则用介士,所养者非所用,所用者非所养,此所以乱也。"(《显学》)又曰:"仓廪之所以实者,耕农之本务也;而綦组、锦绣、刻画为末作者富。名之所以成,城池之所以广者,战士也;今死士之孤饥饿乞于道,而优笑酒徒之属乘车衣丝。赏禄,所以尽民力易下死也;今战胜攻取之士劳而赏不沾,而卜筮、视手理、狐虫为顺辞于前者日赐。"(《诡使》)又曰:"夫陈善田利宅,所以战士卒也。而断头裂腹、播骨乎平原旷野者,无宅容身,身死田夺。而女妹有色,大臣左右无功者,择宅而受,择田而食。赏利一从上出,所善剸下也,而战介之士不得职,而闲居之士尊显。上以此为教,名安得无卑?位安得无危?"(同上)且征事以明之曰:"赵主父使李疵视中山可攻否也。还报曰:'中山可伐也。君不亟伐,将后齐、燕。'主父曰:'何故可攻?'李疵对曰:'其君见好岩穴之士,所倾盖与车以见穷闾隘巷之士以十数,伉礼下布衣之士以百数矣。'君曰:'以子言论,是贤君也,安可攻?'疵曰:'不然。夫好显岩穴之士而朝之,则战士怠于行阵;上尊学者,下士居朝,则农夫惰于田。战士怠于行阵者,则兵弱也;农夫惰于田者,则国贫也。兵弱于敌,国贫于内,而不亡者,未之有也。伐之不亦可乎?'主父曰:'善。'举兵而伐中山,遂灭也。"(《外储说左上》)盖韩非持国家主义,以为实际有益于国家者,非耕即战也。自余皆无实之谈,不足为贵。虽或世所称为贤能,然不足以扶植国家之公利,无不可尽之以法。故曰:"不事力而衣食,则谓之能;不战功而尊,则谓之贤。贤能之行成,而兵弱而地荒矣。人主说贤能之行,而忘兵弱地荒之祸,则私行立而公利灭矣。"(《五蠹》)然则私行不废,斯公利不成，故弃彼取此。

韩非以耕战为治国之主，凡一切圣人贤士，皆非所尚，非仅恶文学游谈而已。故曰："博习辩智如孔、墨，孔、墨不耕耨，则国何得焉？修孝寡欲如曾、史，曾、史不战攻，则国何利焉？"（《八说》）又曰："鲍焦、华角，天下之所贤也。鲍焦木枯，华角赴河，虽贤，不可以为耕战之士。"（同上）其意自耕战之士以外，皆不足贵也。然耕战之事，在有以督其实功，若徒浮慕而空言之，犹无益也。故曰："今境内之民皆言治，藏商、管之法者家有之，而国愈贫，言耕者众，执耒者寡也；境内皆言兵，藏孙、吴之书者家有之，而兵愈弱，言战者多，被甲者少也。"（《五蠹》）韩非书中，固罕言所以劝导耕战之法。今姑举《难二》所记二事。

> 李兊治中山，苦陉令上计而入多。李兊曰："语言辨，听之说，不度于义，谓之窕言。无山林泽谷之利，而入多者，谓之窕货。君子不听窕言，不受窕货。子姑免矣。"
>
> 或曰：……李子之奸弗蚤禁，使至于计，是遂过也。无术以知而入多，入多者，穰也。虽倍入，将奈何？举事慎阴阳之和，种树节四时之适，无早晚之失、寒温之灾，则入多。不以小功妨大务，不

以私欲害人事，丈夫尽于耕农，妇人力于织纴，则入多。务于畜养之理，察于土地之宜，六畜遂，五谷殖，则入多。明于权计，审于地形、舟车、机械之利，用力少，致功大，则入多。利商市关梁之行，能以所有致所无，客商归之，外货留之，俭于财用，节于衣食，宫室器械周于资用，不事玩好，则入多。入多，皆人为也。若天事，风雨时，寒温适，土地不加大而有丰年之功，则入多。人事、天功，二物者皆入多，非山林泽谷之利也。夫无山林泽谷之利入多，因谓之窕货者，无术之言也。

上一则论耕农。（兼及工商节用之道）

赵简子围卫之郛郭，犀楯、犀橹，立于矢石之所不及，鼓之而士不起。简子投枹曰："乌乎！吾之士数弊也。"行人烛过免胄而对曰："臣闻之：亦有君之不能耳，士无弊者。昔者吾先君献公，并国十七，服国三十八，战十有二胜，是民之用也。献公没，惠公即位，淫衍暴乱，身好玉女，秦人恣侵，去绛十七里，亦是人之用也。惠公没，文公受之，围卫，取邺，城濮之战，五败荆人，取尊名于天下，亦此人之用也。亦有君不能耳，士无弊也。"简子乃去楯、橹，立矢石之所及，鼓之而士乘之，战大胜。简子曰："与吾得革车千乘，不如闻行人烛过之一言也。"

或曰：行人未有以说也，乃道惠公以此人是败，文公以此人是霸，未见所以用人也。简子未可以速去楯、橹也。严亲在围，轻犯矢石，孝子之所以爱亲也。孝子爱亲，百数之一也。今以为身处危而人尚可战，是以百族之子于上，皆若孝子之爱亲也，是行人之诬也。好利恶害，夫人之所有也。赏厚而信，人轻敌矣；刑重而必，人不北矣。长行徇上，数百不一；喜利畏罪，人莫不然。将众者不出乎莫不然之数，而道乎百无一人之行，行人未知用众之道也。

上一则论战士。

韩非所言厉耕战之道，虽不甚可考见，玩此二则，是教耕当课以尽地力之道，或有赖于其他人事技艺之助；所以驱战士死敌者，则不外军法严重而已。

第六章　亡国论

韩非论为国者，不用法术可亡，不明敕赏罚可亡，不重耕战之士而徒慕儒墨、好法古、言仁义者可亡，既略论于前矣。此外复类举亡国四十七征如下：

一、凡人主之国小而家大，权轻而臣重者，可亡。

二、简法禁而务谋虑，荒封内而恃交援者，可亡。

三、群臣为学，门子好辩，商贾外积，小民内困者，可亡。

四、好宫室台榭陂池，事车服器玩，好罢露百姓，煎靡货财者，可亡。

五、用时日，事鬼神，信卜筮而好祭祀者，可亡。

六、听以爵不待参验，用一人为门户者，可亡。

七、官职可以重求，爵禄可以货得者，可亡。

八、缓心而无成，柔茹而寡断，好恶无决而无所定立者，可亡。

九、饕贪而无餍，近利而好得者，可亡。

十、喜淫刑而不周于法，好辩说而不求其用，滥于文丽而不顾其功者,可亡。

十一、浅薄而易见,漏泄而无藏,不能周密而通群臣之语者,可亡。

十二、狠刚而不和,愎谏而好胜,不顾社稷而轻为自信者,可亡。

十三、恃交援而简近邻,怙强大之救,而侮所迫之国者,可亡。

十四、羁旅侨士,重帑在外,上间谋计,下与民事者,可亡。

十五、民信其相,下不能其上,主爱信之而弗能废者,可亡。

十六、境内之杰不事,而求封外之士,不以功伐课试,而好以名问举错,羁旅起贵,以陵故常者,可亡。

十七、轻其嫡正,庶子称衡,太子未定而主即世者,可亡。

十八、大心而无悔,国乱而自多,不料境内之资,而易其邻敌者,可亡。

十九、国小而不处卑,力少而不畏强,无礼而侮大邻,贪愎而拙交者,可亡。

二十、太子已置,而娶于强敌以为后妻,则太子危,如是则群臣易虑者,可亡。

二十一、怯慑而弱守,蚤见而心柔懦,知有谓可,断而弗敢行者，可亡。

二十二、出君在外而国更置，质太子未反而君易子，如是则国携；国携者可亡。

二十三、挫辱大臣而狎其身，刑戮小民而逆其使，怀怒思耻而专习则贼生；贼生者可亡。

二十四、大臣两重，父兄众强，内党外援以争事势者，可亡。

二十五、婢妾之言听，爱玩之智用，外内悲惋而数行不法者，可亡。

二十六、简侮大臣，无礼父兄，劳苦百姓，杀戮不辜者，可亡。

二十七、好以智矫法，时以行杂公，法禁变易，号令数下者，可亡。

二十八、无地固，城郭恶；无畜积，财物寡；无守战之备，而轻攻伐者，可亡。

二十九、种类不寿，主数即世，婴儿为君，大臣专制，树羁旅以为党，数割地以待交者，可亡。

三十、太子尊显，徒属众强，多大国之交，而威势蚤具者，可亡。

三十一、变褊而心急，轻疾而易动发，心悁忿而不訾前后者，可亡。

三十二、主多怒而好用兵，简本教而轻战攻者，可亡。

三十三、贵臣相妒，大臣隆盛，外藉敌国，内困百姓，以攻怨雠，而人主弗诛者，可亡。

三十四、君不肖而侧室贤，太子轻而庶子伉，官吏弱而人民桀，如此则国躁；国躁者可亡。

三十五、藏怒而弗发，悬罪而弗诛，使群臣阴憎而愈忧惧，而久未可知者，可亡。

三十六、出军命将太重，边地任守太尊，专制擅命，径为而无所请者，可亡。

三十七、后妻淫乱，主母畜秽，外内混通，男女无别，是谓两主；两主者可亡。

三十八、后妻贱而婢妾贵，太子卑而庶子尊，相室轻而典谒重，如此则内外乖；内外乖者可亡。

三十九、大臣甚贵，偏党众强，壅塞主断而重擅国者，可亡。

四十、私门之官用，马府之世绌，乡曲之善举，官职之劳废，贵私行而贱公功者，可亡。

四十一、公家虚而大臣实，正户贫而寄寓富，耕战之士困，末作之民利者，可亡。

四十二、见大利而不趋，闻祸端而不备，浅薄于争守之事，而务以仁义自饰者，可亡。

四十三、不为人主之孝，而慕匹夫之孝；不顾社稷之利，而听主母之令；女子用国，刑余用事者，可亡。

四十四、辞辩而不法，心智而无术，主多能而不以法度从事者，可亡。

四十五、亲臣进而故人退，不肖用事而贤良伏，无功贵而劳苦贱，如是则下怨；下怨者可亡。

四十六、父兄大臣禄秩过功，章服侵等，宫室供养太侈，而人主弗禁，则臣心无穷；臣心无穷者可亡。

四十七、公婿公孙与民同门，暴傲其邻者，可亡。

上皆见于韩非书《亡征》篇。所谓"亡征"者，非曰必亡，言其可亡也。故曰：两尧不能相王，两桀不能相亡。木虽蠹，无疾风不折；墙虽隙，无大雨不坏。盖既有亡征，而又有能服术行法之强国为之风雨，然后其亡可立而待也。然古代政府与国家之区别未了，故韩非所论亡征，多责在君主。按当时之事势，君实为执法之元首。故君主所为，其关系国家尤大也。

第七章　个人对国家论

韩非持国家主义，故个人之行为，恒当屈于国家之下，而轨于法度之中。私善不足矜，公德乃为大，虽在其个人，有贤智高誉，倘无益于国，亦无取乎尔。其书尝汲汲公私之辨，及匹夫之利与国家之利之不同，今略掇而论之。

个人之所为，有与国家之法律相牾而或致一时之私誉者。韩非尝论之曰："夫立名号，所以为尊也；今有贱名轻实者，世谓之'高'。设爵位，所以为贵贱基也；而简上不求见者，世谓之'贤'。威利，所以行令也；而无利轻威者，世谓之'重'。法令，所以为治也；而不从法令为私善者，世谓之'忠'。官爵，所以劝民也；而好名义不仕进者，世谓之'烈士'。刑罚，所以擅威也；而轻法不避刑戮死亡之罪者，世谓之'勇夫'。是故下之所欲，常与上之所以为治相诡也。今下而听其上，上之所急也。而惇愨纯信用一者，则谓之'窭'。守法固，听令审，则谓之'愚'。敬上畏罪，则谓之'怯'。言时节，行中适，则谓之'不肖'。无二心私学，听吏从教者，则谓之'陋'。难致，谓之'正'。难予，谓之'廉'。难禁，谓之'齐'。有令不听从，谓之'勇'。无利于上，谓之'愿'。宽惠行德，谓之'仁'。重厚自尊，谓之'长者'。私学成群，谓之'师徒'。闲静安居，谓之'有思'。损仁逐利，谓之'疾险'。躁佻反覆，谓之'智'。先为人而后自为，类名号，言泛爱天下，谓之'圣'。言大不称而不可用，行而乖于世者，谓之'大人'。贱爵禄，不挠上者，谓之'杰'。下渐行如此，入则乱民，出则不便也。上宜禁其欲，灭其迹，而不止也；又从而尊之，是教下乱上以为治也。"（《诡使》）又曰："畏死远难，降北之民也，而世尊之曰'贵生之士'。学道立方，离法之民也，而世尊之曰'文学之士'。游居厚养，牟食之民也，而世尊之曰'有能之士'。语曲牟知，伪诈之民也，而世尊之曰'辩智之士'。行剑攻杀，暴憿之民也，而世尊之曰'磏勇之士'。活贼匿奸，当死之民也，而世尊之曰'任誉之士'。此六民者，世之所誉也。赴险殉诚，死节之民，而世少之曰'失计之民'也。寡闻从令，全法之民也，而世少之曰'朴陋之民'也。力作而食，生利之民也，而世少之曰'寡能之民'也。嘉厚纯粹，整谷之民也，而世少之曰'愚戆之民'也。重命畏事，尊上之民也，而世少之曰'怯慑之民'也。挫贼遏奸，明上之民也，而世少之曰'谄谗之民'也。此六民者,世之所毁也。奸伪无益之民六,而世誉之如彼;耕战有益之民六,而世毁之如此。此之谓'六反'。布衣循私利而誉之,世主听虚声而礼之;礼之所在,利必加焉。百姓循私害而訾之,世主壅于俗而贱之;贱之所在,害必加焉。故名赏在乎私恶当罪之民,而毁害在乎公善宜赏之士。索国之富强。不可得也。"(《六反》)盖国家之利害,与个人之私誉,其相反有如此者。

又曰:"为故人行私,谓之'不弃'。以公财分施,谓之'仁人'。轻禄重身,谓之'君子'。枉法曲亲,谓之'有行'。弃官宠交,谓之'有侠'。离世遁上,谓之'高傲'。交争逆令,谓之'刚材'。行惠取众,谓之'得民'。不弃者,吏有奸也;仁人者,公财损也;君子者,民难使也;有行者,法制毁也;有侠者,官职旷也;高傲者,民不事也;刚材者,令不行也;得民者,君上孤也。此八者,匹夫之私誉,人主之大败也。反此八者,匹夫之私毁,人主之公利也。人主不察社稷之利害,而用匹夫之私誉,索国之无危乱,不可得矣。"(《八说》)又曰:"为匹夫计者,莫如修行义而习文学。行义修则见信,见信则受事;文学习则为明师,为明师则显荣,此匹夫之美也。然则无功而受事,无爵而显荣,有政如此,则国必乱,主必危矣。故不相容之事,不两立也。斩敌者受赏，而高慈惠之行；拔城者受爵禄，而信廉爱之说；坚甲厉兵以备难，而美荐绅之饰；富国以农，距敌恃卒，而贵文学之士；废敬上畏法之民，而养游侠私剑之属。举行如此，治强不可得也。"（《五蠹》）于是又有五蠹之民："其言谈者，为设诈称，借于外力，以成其私，而遗社稷之利。其带剑者，聚徒属，立节操，以显其名，而犯五官之禁。其患御者，积于私门，尽货赂，而用重人之谒，退汗马之劳。其商工之民，修治苦窳之器，聚弗靡之财，蓄积待时，而侔农夫之利。此五者，邦之蠹也。人主不除此五蠹之民，不养耿介之士，则海内虽有破亡之国、削灭之朝，亦勿怪矣。"（同上）凡此之行，皆利于个人，而害于国家；有益于私，而无益于公；有成于誉，而有违于法。故韩非以个人之利与国家之利不两立，欲治国者，必屈个人使服从于国家之下，一切齐之以法。法与私最相反者也，故又言曰："夫立法令者，以废私也。法令行而私道废矣。私者，所以乱法也。而士有二心私学、岩居窞路、托伏深虑，大者非世，细者惑下；上不禁，又从而尊之以名、化之以实，是无功而显、无劳而富也。如此，则士之有二心私学者，焉得无深虑、勉知诈与诽谤法令，以求索与世相反者也？凡乱上反世者，常士有二心私学者也。"（《诡使》）盖个人之有私誉者，其行或为习俗所尚已久，又或承于一时之巨子显学，人君惑其名高，往往不敢遽裁之以法，故韩非反覆言之。

国家者，集合个个之众人而成，当使个个之众人，服从于国家同一法律之下，秩然如一有机体而不可逾者也。若其中之一个人，忽然离此法律而独立，以取殊异于众人，是乱之首也。执法者不求所以正之，而世或相与附同，各自伸其个人以出乎法律之外，则国家之体溃矣。然其行率始自世所指名之贤人，故不可不察也。韩非之言曰："古有伯夷、叔齐者，武王让以天下而弗受，二人饿死首阳之陵。若此臣者，不畏重诛，不利重赏，不可以罚禁也，不可以赏使也。此之谓无益之臣也，吾所少而去也，而世主之所多而求也。"（《奸劫弑臣》）又记太公诛狂矞之言曰："狂矞也，议不臣天子，不友诸侯，吾恐其乱法易教也，故以为首诛。今有马于此，形容似骥也，然驱之不往，引之不前，虽臧获不托足以旋其轸也。"（《外储说右上》）齐桓公之时，有处士曰小臣稷，桓公三往而弗得见。桓公以为人主不好仁义，无以下布衣之士，五往始得见之。韩子非之曰："今桓公以万乘之势，下匹夫之士，将欲忧齐国，而小臣不行，是忘民也。忘民不可谓仁义。且小臣在民萌之众，而逆君上之欲，亦不可谓仁义也。桓公又从而礼之，使小臣有智能而遁桓公，是隐也，宜刑；若无智能而虚骄矜桓公，是诬也，宜戮。小臣之行，非刑则戮。桓公不能领臣主之理，而

第七章　个人对国家论

礼刑戮之人。是桓公以轻上侮君之俗教于齐国也,非所以为治也。"(《难一》)此可以见韩子之意矣。

夫然,个人之对国家,宜若何而可者？韩非尝记一事:"田鲔教其子田章曰:'欲利而身,先利而君;欲富而家,先富而国。'"(《外储说右下》)古时未立国家与政府之别,故先利君云者,非谓私于一人则然,亦个人对于国家所有法律上之义务应尔也。故韩非又论此事曰:"治强生于法,弱乱生于阿。君明于此,则正赏罚而非不仁也。爵禄生于功,诛罚生于罪。臣明于此,则尽死力而非忠君也。君通于不仁,臣通于不忠,则可以王矣。昭襄知主情,而不发五苑(说见《非仁义论》章);田鲔知臣情,故教田章。"(同上)盖国家法律既定,则人君与人臣,当同守此法律。君不过执行法律,论功行赏,而非所以市恩,故受之者不感其赐;犹论罪行罚,而受之不怨其不仁。以君依法律而命之,固无所容心于其间也。至于国家中之人人,本与国家为一体,宜无不欲国家之富强,故先公而后私,先国而后家,亦其责任所自定如此,岂用此炫忠于一人哉！此韩非"君通于不仁,臣通于不忠"之说也。而个人对国家之义,亦即著于是矣。

第八章 人生道德观

利己心为道德之原

韩非既承荀卿性恶之说，故以人之生也，即具有好自利之性。无论父子君臣之间，莫不各本其自利心以相计算者也。故曰："人为婴儿也，父母养之简，子长而怨；子盛壮成人，其供养薄，父母怒而诮之。子、父，至亲也，而或谯或怨者，皆挟相为而不周于为己也。夫卖庸而播耕者，主人费家而美食，调布而求易钱者，非爱庸客也，曰：如是，耕者且深、耨者熟耘也。庸客致力而疾耘耕者，尽巧而正畦陌畴畔者，非爱主人也，曰：如是，羹且美、钱布且易云也。此其养功力，有父子之泽矣，而心调于用者，皆挟自为心也。故人行事施与，以利之为心，则越人易和；以害之为心，则父子离且怨。"（《外储说左上》）又曰："父母之于子也，产男则相贺，产女则杀之。此俱出父母之怀衽，然男子受贺、女子杀之者，虑其后便、计之长利也。故父母之于子也，犹用计算之心以相待也，而况无父子之泽乎？"（《六反》）又曰："王良爱马，越王勾践爱人，为战与驰。医善吮人之伤，含人之血，非骨肉之亲也，利所加也。故舆人成舆，则欲人之富贵；匠人成棺，则欲人之夭死也。非舆人仁而匠人贼也。人不贵则舆不售，人不死则棺不买。情非憎人也，利在人之死也。"（《备内》）盖人情之无不以利己为鹄如此。

克己

夫人人既皆以利己为鹄，故人生之道德，惟在勿侵他人之所以利己者，则亦不为人所害。故《解老》曰："圣人之游世也，无害人之心，则必无人害。无人害，则不备人。故曰：'陆行不遇兕、虎。'入世不恃备以救害，故曰：'入军不备甲兵。'远诸害，故曰：'兕无所投其角，虎无所错其爪，兵无所容其刃。'不设备而必无害，天地之道理也。体天地之道，故曰：'无死地焉。'动无死地，而谓之'善摄生'矣。"韩非本此意以立法律最高主义，亦在使人各勿相害，则国治矣。至用之于伦理，将欲去其害人之心，不可不于一己之自利心，加以裁抑，故克己法，尤当先讲矣。必胜己而后能胜人，必自见而后能见人。其道首宜爱己之精神，啬己之智识，乃能静虑合于道理，以应人事。今类录韩非关于克己之格言如下：

楚庄王欲伐越。杜子谏曰："王之伐越，何也？"曰："政乱兵弱。"杜子曰："臣愚患之，智如目也，能见百步之外，而不能自见其睫。王之兵自败于秦、晋，丧地数百里，此兵之弱也；庄𫏋为盗于境内，而吏不能禁，此政之乱也。王之弱乱，非越之下也。欲伐越，此智之如目也。"王乃止。故知之难，不在见人，在自见。故曰："自见之谓明"。(《喻老》)

子夏见曾子。曾子曰："何肥也？"对曰："战胜，故肥也。"曾子曰："何谓也？"子夏曰："吾入见先王之义，则荣之；出见富贵之乐，又荣之。两者战于胸中，未知胜负，故臞。今先王之义胜，故肥。"是以志之难也，不在胜人，在自胜也。故曰："自胜之谓强。"（同上）

杨子过于宋东之逆旅，有妾二人，其恶者贵，美者贱。杨子问其故，逆旅之父答曰："美者自美，吾不知其美也；恶者自恶，吾不知其恶也。"杨子谓弟子曰："行贤而去自贤之心，焉往而不美？"(《说林》)

官有垔，器有涤，则洁矣。行身亦然，无涤垔之地，则寡非矣。（同上）

古之人，目短于自见，故以镜观面；智短于自知，故以道正己。故镜无见疵之罪，道无明过之怨。目失镜，则无以正须眉；身失道，则无以知迷惑。

西门豹之性急，故佩韦以缓己；董安于之心缓，故佩弦以自急。(《观行》)

田鲔教其子田章曰："主卖官爵，臣卖智力。故曰：自恃无恃人。"(《外储说右下》)

公仪休相鲁而嗜鱼，一国尽争买鱼而献之，公仪子不受。其弟谏曰："夫子嗜鱼而不受者，何也？"对曰："夫唯嗜鱼，故不受也。夫即受鱼，必有下人之色；有下人之色，将枉于法；枉于法，则免于相。虽嗜鱼，此不必致我鱼，我又不能自给鱼。即无受鱼而不免于相，虽嗜鱼，我能长自给鱼。"此明夫恃人不如自恃也，明于人之为己者不如己之自为也。(同上)

对他人之道德

韩非所谓对他人之道德，就可考见言之，一曰敬。"卫将军文子见曾子。曾子不起而延于坐席，正身于奥。文子谓其御曰：'曾子，愚人也哉！以我为君子也，君子安可毋敬也？以我为暴人也，暴人安可侮也？曾子不僇，命也。"(《说林下》)二曰信。"齐伐鲁，索谗鼎，鲁以其赝往。齐人曰：'赝也。'鲁人曰：'真也。'齐曰：'使乐正子春来，吾将听子。'鲁君请乐正子春，乐正子春曰：'胡不以其真往也？'君曰：'我爱之。'答曰：'臣亦爱臣之信。'"（同上）"吴起出，遇故人而止之食。故人曰：'诺，今返而御。'吴子曰：'待公而食。'故人至暮不来，起不食待之。明日蚤，令人求故人。故人来，方与之食。"（《外储说左上》）盖韩非斥仁义而非法古，凡旧日所谓道德，一切视为不足重，惟于敬与信有所取焉耳。

版权专有　侵权必究

图书在版编目（CIP）数据

韩非子研究 / 谢无量著. —北京：北京理工大学出版社，2020.5

（古典·哲学时代 / 马东峰主编）

ISBN 978-7-5682-8242-0

Ⅰ. ①韩… Ⅱ. ①谢… Ⅲ. ①韩非（前280—前233）－哲学思想－研究 Ⅳ. ① B226.55

中国版本图书馆 CIP 数据核字（2020）第 043209 号

出版发行 / 北京理工大学出版社有限责任公司	
社　　址 / 北京市海淀区中关村南大街 5 号	
邮　　编 / 100081	
电　　话 /（010）68914775（总编室）	
（010）82562903（教材售后服务热线）	
（010）68948351（其他图书服务热线）	
网　　址 / http://www.bitpress.com.cn	
经　　销 / 全国各地新华书店	
印　　刷 / 保定市中画美凯印刷有限公司	
开　　本 / 787 毫米 ×1092 毫米　1/32	
印　　张 / 6.25	责任编辑 / 朱　喜
版　　次 / 2020 年 5 月第 1 版　2020 年 5 月第 1 次印刷	文案编辑 / 朱　喜
字　　数 / 110 千字	责任校对 / 顾学云
定　　价 / 32.00 元	责任印制 / 王美丽

图书出现印装质量问题，请拨打售后服务热线，本社负责调换